日本の祝日と歳事の由来

生方徹夫 著
モラロジー道徳教育財団 編

モラロジー道徳教育財団

はじめに

私たち日本人は、一年を単位として生活を繰り返してきました。

一年の中の節目《ふしめ》を「時の節句《せっく》」といいます。節句には、労働を休み、神を迎え、供《そな》え物を神と共に食して霊力《れいりょく》を身につけるという意味があります。これが日本の祭りで、地域全体の祈願《きがん》として節句ごとに祭り、祈ってきました。行事や習俗を人々が共に行うことで社会秩序が保たれてきたのです。

祝日もまた、習俗や伝統文化の一端《いったん》を担《にな》うものです。現在、法律で十六の「国民の祝日」が定められています。この中には、古くからの祝日の流れを汲《く》んでいるもの、現代の行事や、海や山などの自然の恩恵に感謝し、生物を慈《いつく》しむものもあります。

名称が変わっても、日本の古くからの伝統や歳事《さいじ》から来ているものが多くあり、時に優しく、時に厳しい自然の中で歴史を積み重ねてきた先人たちの、自然に対する感謝と畏怖《いふ》の念が、現在に生きる私たちの習俗にも影響を与えていることがわかります。

自然とかかわりながら脈々《みゃくみゃく》と歴史を積み上げてきて今があり、私たちは過去の遺産を受け継《つ》いで生活を営《いとな》んできました。


私たちはコロナ禍《か》という共通の試練を経験しました。家庭の中でご家族と共に過ごす時間をこれまで以上にもたれた方も多かったのではないでしょうか。

かつて私たちの先人は、家族の健康や成長を感謝し、日々の楽しみを生み出す知恵を祝日や歳事として大切にしてきました。現代に生きる私たちもそれにならい、新しく迎える日々を楽しく健《すこ》やかに暮らしていきたいものです。本書はそうした願いも込めて上梓《じょうし》しました。

創造は、必ずしもすべてを捨て去ったゼロの地点から出発するだけではなく、伝統をふまえた新しい再生、蘇《よみがえ》りにこそ力が宿るものです。

本書を通して、日本の伝統文化へ関心を向けるきっかけとなれば幸いです。

目次

5月

6月

7月

8月

9月

1月

睦月（むつき）

旧暦一月の異称。むつびづき、むつびのつき、むつましづき、ともいいます。ムツキと呼ぶ理由には諸説あり。正月は身分の上下なく、また老いも若きも互いに往来して拝賀し、親族一同集まって娯楽・遊宴するという睦《むつ》び月の意味で、このムツビツキが訛《なま》ってムツキになったという説が有力です。

1月

睦月《むつき》

1

元日

p10

2

3

4

5 頃

小寒《しょうかん》

この日から「寒の入り」で、節分までが「寒の内」という。寒気がまだ最大にまでならないという意味だが、実際には本格的な冬の季節。寒中見舞いが出される頃。

6

7 頃

人日《じんじつ》の節句《せっく》

七草がゆ

p22

16

17

18

19

20 頃

大寒《たいかん》

極寒で寒さの絶頂期。各地で年間の最低気温が記録され、寒の入りから十六日目で、いろいろな寒稽古が行われる頃。

21

22

23

8

9

10
頃
成人の日
p24

11

12

13

14

15

24

25

26

27

28

29

30

31

1月 1日

元日

年のはじめを祝う。

元日《がんじつ》はかつて皇室行事である四方拝《しほうはい》にちなんで「四方節《しほうせつ》」と呼ばれていました。

四方拝は、元日の早朝、天皇が宮中において、天地四方の神々を拝し、五穀豊穣《ごこくほうじょう》や年災《ねんさい》消滅を祈る祭祀《さいし》で、現在でも行われています。戦後、四方節に代わって「国民の祝日」となりました。

「三が日」（一月一日から一月三日）、または「松の内」（一月一日から一月七日あるいは一月十五日）までを特に「正月」と呼び、日本各地で伝統的な行事が執《と》り行われます。ちなみに、元旦《がんたん》は「元日」と「元日の朝」両方の意味をもちます。

一月を正月というのは、「正」の字に、「はじめ」や「もと」の意味のあるところから来ており、中国でも一月を正月といい、『荊楚歳時記《けいそさいじき》』に「正月は三元《さんげん》の日なり」と、歳と時と日の元の意味として使われています。

また、新年を迎えることを「年があらたまる」という言い方をしますが、これは、一つ年を加えるというよりも、むしろ新しく若々しい年を迎えるという感覚を表したもので、古い年を新しく幸多いものにしようとした気持ちの表れであったといえます。

今でも、鹿児島地方では新年の挨拶《あいさつ》の時、「ワコ　オナイヤシツロ（若くおなりだったでしょう）」と言い、沖縄県那覇《なは》市でも「ウワカク　ナミソーチ（お若くなられましたか）」と述べ合うといいます。

正月の習俗に、「若水《わかみず》」といって、一家の主人が元旦に井戸から水を汲《く》んできて神に供える形が残っています。これは神から霊力の加わった水をわけてもらうという意味合いがあり、この水を初水《はつみず》ともいい、お茶を点《た》てて福茶をいただきます。若水によって若返る、あるいは魂《たましい》が再生するという思想は、古くから日本文化の中に根づいてきたのです。

お正月に「おめでとう」と挨拶するのはなぜ？

寒い冬ごもりの生活から、春を迎えて生命力が復活することを喜び、お祝いしたから。また、年神様が家々を訪れて祝福を授けてくれるから。

もともと日本人は、年の初めとして「立春《りっしゅん》」にあたる日を正月としていました。

寒い冬ごもりの生活から、春の初めを感じる、生命力の復活する春を迎える時が正月であり、それを喜び祝ったのが正月の始まりです。このめでたさの感覚が、今も賀詞《がし》として「新春」「迎春《げいしゅん》」という言葉として残っています。

この「めでたい」は、俗にいう「芽《め》が出る」は当て字です。根源は「めず（愛《め》ず・賞《め》ず）」という言葉から出た「めでたし」で、古くは「愛したい、ほめたい、祝うべきである」という意味をもっています。

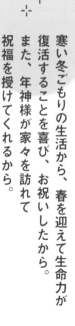

正月を「めでたい」というのは、年神様《としがみさま》が家々を訪れて人々を祝福し、年玉（年魂）を授《さず》けて新しく生命力をもたらしてくれると信じていたため、めでたいと挨拶《あいさつ》し合うようになりました。

一月一日は暦《こよみ》の上での新しい変化としてとらえつつも、元日を中心とした大正月《おおしょうがつ》、十五日の小正月《こしょうがつ》、そして立春を中心にした正月と、三度にわたってさまざまな行事を行ってきました。古代の人々から受け継ぎ、私たちの心の底に流れている感覚や意識が、行動や行事のあり方をとおして現代にまで脈々と続いているのです。

三度にわたる正月行事

一月一日〜七日	**大正月**
一月十五日	**小正月**
立春（二月四日ごろ、節分の翌日）	**正月**

お年玉の意味は？

新しい生命力である年玉（年魂）を年神様からいただくのがお年玉。親から子への年玉（年魂）を分け与えることにつながると考えられた。


「お年玉」というと、今はお金が主ですね。ふだんのお小遣《こづか》いとは区別して、「お年玉」というのは正月だけです。なぜでしょうか？　日本人にとって正月は特別だからです。むかしの人は、年が改まる＝新しく若々しい年を迎えるととらえました。そして、古い年から新しく幸多いものにしようとしたのです。

生命力の更新、復活の願いを込めて、年神様にお供《そな》え物をして、代わりに年玉（年魂）をいただく。これが、「お年玉」の由来です。

現在でも、神前に供えた丸い小餅を年玉という地方、ミカンの上にコンブをのせてカヤで結んだものや、お米を紙に包んでひねった「おひねり」を正月の「お年玉」としているところもあります。日本人は古くより、霊魂《れいこん》はよそからやって来て人の体や物に着いて発動すると考えていたので、魂を賜《たまわ》るという発想が生まれたと考えられ、また、親が子供たちに、自分の霊魂を分け与えるという意味もあったようです。

目下の方には「お年玉」、目上の方には「お年賀」といいます。必ずお年玉袋に入れて渡すようにしましょう。左のように、折り紙で作って渡すのもいいものです。

お年玉袋の折り方

赤を使うと、のしのように見え、
また、柄がある折り紙でも、
モダンなお年玉袋になります。

1

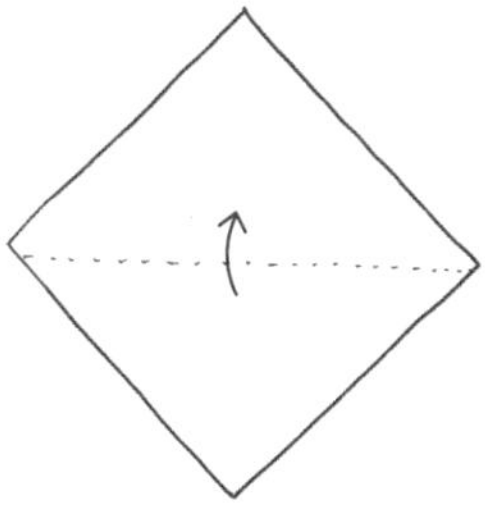

中心から５mmずらして三角に折る

2

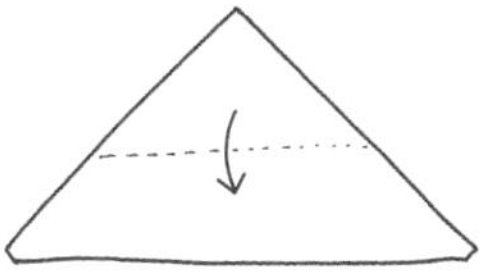

裏返し、点線で折る

3

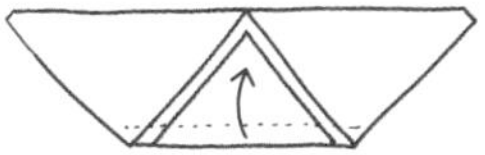

点線で折る（5mm程度）

4

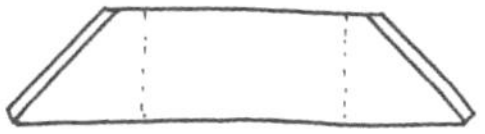

裏返し、片方の端から
お金を入れ、点線で折る

5

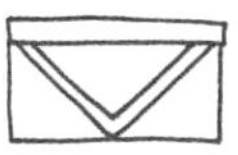

出来上がり！

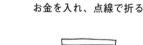

初詣《はつもうで》はなぜするの？

氏神様《うじがみさま》にその年の豊作を願い、地域全体の幸福と平安、年の変わり目の加護《かご》を祈るために参詣した。

大晦日《おおみそか》から夜明かしして迎えた元旦に、神社やお寺に初詣《はつもうで》し、願いごとをする。そんな初詣のもともとの形は、家の近くの鎮守様《ちんじゅさま》、産土様《うぶすなさま》（神社）に参って豊作を願い、村の幸福を祈るものでした。豊作になるかどうかは村全体に影響が及ぶため、村の幸せが自らの幸せにもなると考えたのです。

また、正月が来ることによって、いっせいに年を取るという「年取り」、つまり数え年の感覚は、家族や隣人と互いにつながりをもちながら変化を続ける「同齢《どうれい》感覚」という意識が根底にあったと考えられます。

自然のはたらきは、ものごとを創造し、育てます。現代のように、地球全体を視野に入れる考え方が必要な時こそ、自然のはたらきに思いを馳《は》せ、人類全体の幸福や平和を心の底から祈る。これが新しい時代の正月の意味かもしれません。

初詣は、大晦日の夜に村の神社でお籠《こも》りをし、加護《かご》を祈り、明け方に家に帰ってくる「二年参り」の習慣が江戸時代から流行するようになり、さらに、正月の神が訪れてくる幸運な方角の神社に参るという「恵方《えほう》参り」となり、やがて、有名な神社やお寺に参詣《さんけい》するという形になっていきました。来年の初詣は、家族はもちろん、地域社会や世界の平和を祈ってみてはいかがでしょうか。

神社参拝の作法

鳥居の前で
軽く一礼します。
帰りも同様です。

参道の中央は
神様の通る道。
中央を避けて歩きましょう。

手水舎《ちょうずや》の水で清めます。

右手で柄杓（ひしゃく）を持ち、左手を清め、次に持ち替えて右手を清める。右手に持ち替え、左の手のひらに水を受けて口をすすぎ、水を左手に流す。最後に水の入った柄杓を立て、柄に水を流し清めてから伏せて置く。

お賽銭《さいせん》を入れ、
二礼二拍手一礼し、
会釈をしてから退きます。

お節《せち》料理のいわれと意味は？

お節料理は、年神様にお供えし、
神様と共にいただく特別な食事。
料理の一つ一つに
さまざまな意味が込められている。

大晦日には正月の準備をすべて調《ととの》え、日没になると「年越し」とか「年取り」といって、特別な食物を年神様に供え、家族そろって年神様と一緒にいただきました。この食膳《しょくぜん》が「お節料理」です。

「せち」は正式な食事を意味し、この大晦日の夜の食事が一年で最も重要な食事でした。

現在ではお節を祝い膳として重箱に詰め、正月に家族や客をもてなしますが、両端が削られた祝箸《いわいばし》は、片方を神様、もう片方を人が使うように、神人共食《しんじんきょうしょく》の形となっています。

お節料理を元旦に混ぜ煮にしたものが「雑煮《ぞうに》」で、雑煮を「直会《なおらい》」と呼ぶ地方もあります。

お節料理に込められた意味

黒豆

まめまめしく働き、健康、丈夫に過ごせるように願う

鯛

体が赤いことから、縁起物。「めでたい」にもかけている

田づくり

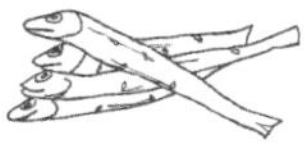

畑の肥やしに使用できるほど多く取れたため、五穀豊穣を願う

れんこん

穴が多く開いていることから、見通しのいい一年を祈る

数の子

数多くの卵が付いていることから、子孫繁栄や子宝を願う

里芋

親芋に子芋がたくさんできることから、子孫繁栄を願う

昆布

「よろこぶ」の語呂合わせ。「子生」の字も当てられ、子宝を願う

ごぼう

土の中に長く細く根を張るため、代々続くようにと願う

エビ

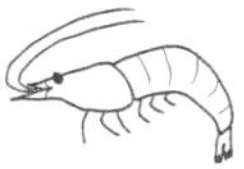

エビのように背中が丸くなるまで長生きができるようにと願う

かまぼこ

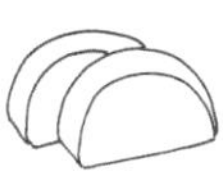

日の出を象徴する色と形。赤は喜びやめでたさ、白は神聖の意味

正月飾りや門松《かどまつ》にはどんな意味があるの？

門松は、年神様の来訪を待つ「まつり木」として立てられ、正月飾りは、年神様を祭るための飾り。

正月に年神様を祀《まつ》るために、松、注連縄《しめなわ》その他で家の内外を飾ることを正月飾りといいます。注連縄は、神聖な場所を他と区別するため、本来は家全体、あるいは部屋の四方《しほう》にぐるりと長い注連縄を張りめぐらしましたが、しだいに、家の入り口や年神棚に張るようになりました。年神棚には、注連縄を張り、鏡餅・酒などを供えます。

門松はスギ、クスノキなどマツ以外の木を使う地域もありますが、マツが神の来臨《らいりん》を待つ木、「まつりの木」として門口に立てることが多いので門松と総称するようになりました。門松を目印に神が訪れ、家族が元気で幸せになるように守ってくれると信じたのです。

鏡餅は正月の飾り物の代表格

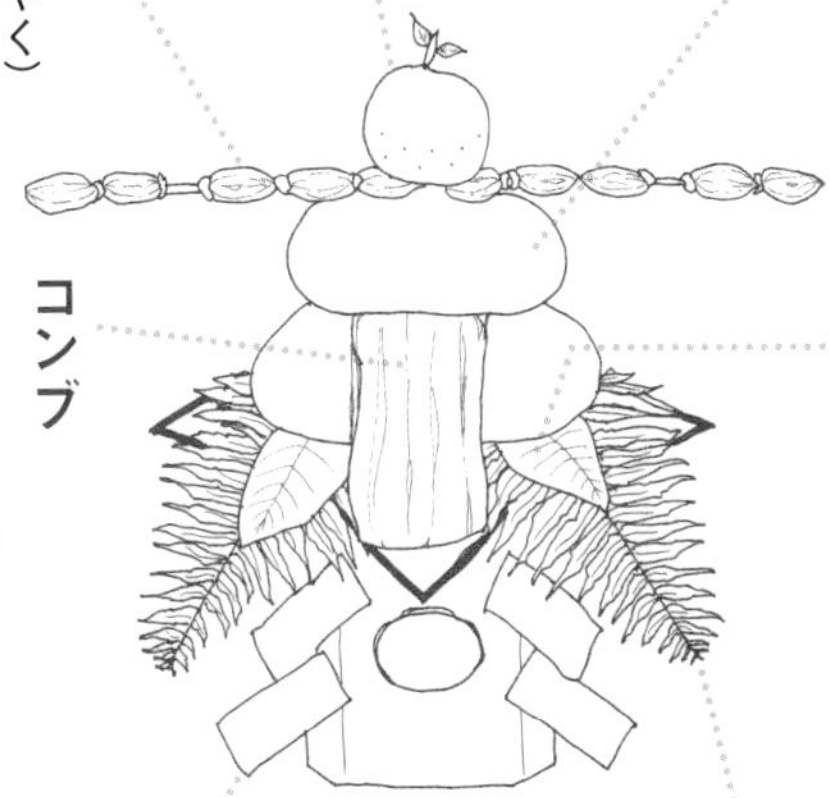

鏡餅

丸い鏡餅には神霊が宿る、年神様そのものと考えられ、年神棚や床の間に、三宝にのせて飾られる。

ダイダイ

代々家が永続するようにという語呂合わせ。熟した実をもがないでおくと、翌年緑色になる回青現象が起きる種のため、復活再生して代々継続するという意味も。

干し柿

幸せをかき集め、厄（やく）をかき取るという意味。串柿は、両端に二個ずつ、中央に六個つけ、「外はニコニコ、中ムツマジク」との願いが込められている。

ユズリハ

親子草ともいわれ、新しい葉が成長してから古い葉が落ちる様子が親から子へ代々譲る形を示しているとされる。

コンブ

よろこぶに通ずるといわれ、古くは広布（ひろめ）といわれた。夷子布（えびすめ）といわれたところから福神の恵比須（えびす）に掛けている。

ウラジロ

表は緑だが裏が白いので、心の潔白さと、白髪になるまでの長寿を願うともいわれる。小さい葉を稲の穂に見立てた豊作のシンボルという説もある。

四《し》手《で》

白紙を切って垂らし、稲の穂の垂れた形を示した神聖・清浄なもの。注連縄や玉串（たまぐし）、お祓いの幣帛（へいはく）にも付けられる。

#「七草《ななくさ》がゆ」と「人日《じんじつ》の節句」の関係は?

一月七日に若菜を食べて、植物がもつ生命力を取り入れ、一年の無病息災を祈る。現在では、人日の節句と一緒になっている。

万葉のむかしから若菜摘《わかなつ》みといって、正月（旧暦）の五日か六日に、七草に入れる野山の若菜を摘みました。若草は春の生命のシンボルで、それを食べることで新しく若々しい命になると考えたのです。

今では「七草」と書きますが、平安時代には小正月（十五日）に「七種粥《がゆ》」といって、七つの穀物、コメ、アワ、キビ、ヒエ、ミノ、ゴマ、アズキを入れて炊いた粥でした。それが七日の人日の行事と一緒になり、鎌倉時代には、セリ、ナズナ、ゴギョウ、ハコベラ、ホトケノザ、スズナ（カブ）、スズシロ（ダイコン）の七つの菜に変わったようです。

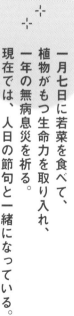

カンタン七草がゆの作り方

■ 材料（4人分）
米／1合
水／5カップ
七草／適量
塩／少々
白ごま／適量

1. 好みの柔らかさでかゆを炊く。
2. 七草（大根、カブのみでも可）を塩ゆでし、水気をよく切り細かく刻む。
3. 炊けたかゆに②を混ぜ、お好みで塩や白ごまを足す。

一月六日の夜、七種の道具（火箸《ひばし》、擂《す》り粉木《こぎ》、卸《おろ》し金、杓子《しゃくし》、割薪《わりき》、菜箸《さいばし》、火吹竹《ひふきだけ》）を並べてまな板を七回叩き、菜を包丁で刻みます。「七草なずな、唐《とう》土《ど》の鳥が日本の土地に渡らぬ先に、合わせてバタバタ」と七回唱えます。豊作と平穏を祈る鳥追《とりお》いの予《よ》祝《しゅく》行事です。この刻んだ菜を神前に供え、翌七日の朝、下げて粥に入れて食べます。小正月という農耕に大切な十五日を迎える準備の日でもありました。

古来、中国では、正月一日を鶏《とり》の日、二日を狗《いぬ》の日、三日を猪《いのしし》の日、四日を羊《ひつじ》の日、五日を牛の日、六日を馬の日、そして七日を人の日として、それぞれの日にその動物を殺さないようにしたのです。七日には犯罪者に対する刑罰を行わないことになっていました。人日《じんじつ》は、江戸時代には、幕府の公式行事となり、将軍以下が七草がゆを食べて祝いました。

1月の第2月曜日

成人の日

おとなになったことを自覚し、
みずから生き抜こうとする青年を
祝いはげます。

かつて日本には、子供から大人への転換点として「成年式」という通過儀礼がありました（女子の場合は成女式）。これは、労働、行政、婚姻などの各方面で一人前と認められる行事で、若者の大人への成長を祝い、見守るものでした。

男子は、主に十五歳で「元服《げんぷく》」「烏帽子《えぼし》祝い」「フンドシ祝い」など、女子の場合、主に十三歳で「ユモジ祝い」「鉄漿《かね》祝い」など、印象的な行事の名で呼ばれていました。

成年式は家族や親類の間で行われ、そのあと村の若者宿（若者組が本拠とした建物）などへ加入し、実の親とは別に烏帽子親、鉄漿親など、保証人や介添人《かいぞえにん》という形で縁組みをしました。これは、人生のさまざまな相談に乗ってくれる親代わりをもつことを意味しました。社会の一員として、世間知を教わり、それを大切にしたことの表れです。また、社会で生きていく知恵を身につける機会として機能していました。

戦後公布・施行された祝日法により、「成人の日」として国民の祝日となりました。平成十一年までは一月十五日が成人の日でしたが、翌年から一月の第二月曜日へ移動しています。

この日は、多くの市町村で新成人を招いて式典が開催されます。本来、成人の日は、前年の成人の日の翌日からその年の成人の日までに二十歳の誕生日を迎える人を祝う日でした。

平成三十年六月の民法改正により、成年年齢が十八歳に引き下げられ、また、女性の婚姻開始年齢は十六歳から十八歳に引き上げられ、男女の婚姻開始年齢を統一することとなりました。これは令和四年四月一日から施行されますが、成人の日の式典は従来どおり二十歳の成人に対して行う自治体が多いようです。

小正月（十五日）の行事

どんど焼き 左義長《さぎちょう》

前年のお札や、門松、注連縄などの正月飾りを神社の境内などで焼く火祭りのこと。

小豆粥《あずきがゆ》

小豆の赤い色には、むかしから邪気を祓（はら）う力があると考えられ、一年の健康を願って小豆粥が食べられる。

粥占《かゆうらない》

細い青竹や葦（あし）などの茎（くき）を入れて小豆粥を炊き、その管（くだ）の中に入った粥、小豆粒の量によって、その年の五穀の豊凶（晴雨や風、男女の出生など）を占う神事で、筒粥（つつがゆ）神事ともいう。

餅花《もちばな》

紅白の餅や団子を小さくちぎって丸め、稲穂を連想させる柳の枝に飾り付け、豊作を祈る。

2月

如月

（きさらぎ）

旧暦二月の異称。衣更着とも書き、キサラギの由来については諸説ある。二月はまだ寒さが残っているため、衣《ころも》を更《さら》に重ね着するから「衣さらに着月」が短くなって衣更着となったという説が一般的。

2月

如月《きさらぎ》

1

2

大寒から十五日目、立春の前日。もともと立春、立夏、立秋、立冬の前日で四季の分かれ目を意味していたが、いつのまにか立春の前日だけが記されるようになった。

p30

3頃

節分《せつぶん》

4頃

立春《りっしゅん》

冬から春に移る時節で、この前夜を年越しと考える風習がある。また、立春は雑節の基準日で、八十八夜・土用・二百十日などを起算するもとになっている。

5

6

15

16

17

18

19頃

雨水《うすい》

立春後十五日目。「雪散じて水となるなり」、今まで降った雪や氷が解けて水となり、雪が雨に変わって降るという意味。むかしから農耕の準備などは雨水を目安として始められた。

20

21

22

14 13 12 11 10頃 9 8 7

11 建国記念の日 p34

10頃 初午《はつうま》

二月の最初の午の日で、稲荷を祭る行事。全国各地の稲荷神社で「初午祭り」が行われる。特に京都の伏見稲荷大社は有名で、祭神が伊奈利山の峰に降りたのが和銅四年（七一一）二月の初午の日だったから。江戸時代には子供が寺子屋に入門する日だった。

29 28 27 26 25 24 23

23 天皇誕生日 p36

節分に鬼があらわれるのはなぜ？

もともとは福を呼び、邪気《じゃき》を祓《はら》う存在だった鬼。その姿が恐ろしかったため、逆に豆で鬼を追い払うようになった。

節分は、大正月《おおしょうがつ》、小正月《こしょうがつ》とともに、新しく明るい春の陽気を迎え、人々の魂《たましい》を再生して気力を呼び起こすための大事な節目の行事です。

節分に福を呼び、邪鬼を祓《はら》う行事は、豆まきに代表されます。中国の行事で、「追儺《ついな》」という方相氏《ほうそうし》が鬼を追う仕草《しぐさ》をしたのがもとで、平安時代には大晦日《おおみそか》の宮中《きゅうちゅう》で鬼を追う式がありました。春になろうとする時期、農作業を開始する前に、田植え、鳥追《とりお》いなどの仕草を演じ、唱《とな》え言を述べて豊作《ほうさく》を祈願する儀礼が行われており、その中で、祖霊が鬼という異形の姿をとって悪霊や災厄《さいやく》を祓ってくれるものでした。

その姿かたちが恐ろしく、しだいに悪鬼《あっき》の面が強く意識されたため、逆に「鬼やらい」として豆を打って鬼を追うものに変化していきました。

邪鬼《じゃき》を祓う「ヤイカガシ」は、ヒイラギの枝に焼いたイワシの頭を刺し、豆がらなどとともに戸口や門口に差しますが、魚の臭いやヒイラギの葉のトゲで鬼を追い、豆がらを燃やすパチパチという音で邪を祓うものです。また、「メカゴ」は、来訪する神への目印だったものが、カゴの多くの目が鬼を威嚇《いかく》すると考えるようになり、豆がらやヒイラギの枝をつけ、高い竿《さお》の先につけて軒端《のきば》に出し、邪鬼を祓うものになりました。

なぜ豆なのかというと、豆や米は五穀の代表として、精霊《せいれい》を鎮《しず》める散供《さんぐ》(豆や米を撒《ま》いて精霊を供養し魔を祓うもの)で、必ずしも鬼をこらしめるものではありませんでした。むしろ、荒れる魂を鎮めて人々を守護させるように転換するはたらきとして重視されたと考えられます。

鬼やらいに、炒《い》った大豆を使うのには、次のような由来伝承があります。

むかし、人々に害を与える鬼がいるので、神様が鬼退治《たいじ》にやって来て、「今夜のうちに百段の石段をつくったら鬼の勝ちとする」と賭けました。しかし、鬼が九十九段をつくったところで鶏の鳴き声を真似して朝を演じたので、鬼の負けになりました。鬼は逃げる時に、「豆の芽が出る頃に、また来る」と言って去ったので、神様が芽が出ないように豆を炒ることを人々に命じた、という伝えです。

また、豆を囲炉裏《いろり》の灰に十二粒ならべて、その焼け具合でその年の天候や豊凶《ほうきょう》を予測する風習が残っているところから、もともとは豆占いの性格があったと思われます。さらに大豆を炒る時にパチパチと音を立てるのが、鬼を祓うまじないとも考えられたようです。このことは、豆がらをヤイカガシに添えたりすることからもわかります。さらには、供物《くもつ》としての大豆を火によって浄《きよ》める意味があったのかもしれません。

「鬼は外、福は内」のほかにも、各地でさまざまな唱《とな》え言《ごと》があります。人々に祝福を与え、村の災厄を祓ってくれる神の示現《じげん》の「鬼むかえ」の儀式と、豆打ち儀式の鬼追いとの両方が存在しています。本来、神や鬼は、神的なものと悪霊的なものの二つの性格をもち合わせていたと考えられていて、時と場合によっていずれかを表出しました。人々はその時の形によって善悪いずれかにとらえ、固定した伝承になっていったと考えられます。「やらい」という語は追い払いの意味ですが、もとは「養《やしな》い育てる」という意味合いが強く、人を人並みにして社会へ送り出す意味を含んでいました。鬼やらいは、単に追い払うだけでなく、鎮め、供養《くよう》することが、むかしの感覚だったのです。

＼福は内、鬼は外／
今年はどんな掛け声にしますか？

福は内

「福は内」とだけ唱えるのは、成田市の新勝寺、東京の深川不動尊、浅草の浅草寺など。こうした仏教関係では、「仏の慈悲の力で鬼でなくなる」「観音の前に鬼はいない」などという理由が述べられます。

福は内、鬼は(も)内

「福は内、鬼は（も）内」は、吉野の金峯山寺蔵王堂、京都三和町の大原神社、東京西大久保の鬼王神社など。

福は内、鬼は内、悪魔外

「福は内、鬼は内、悪魔外」は、埼玉県嵐山町の鬼鎮神社。

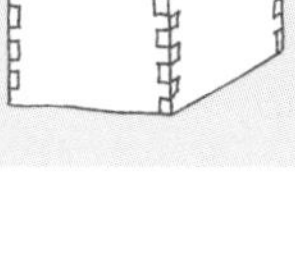

福は内、鬼は内

「福は内、鬼は内」は、奈良県天川村の弁財天社。社家では、一週間潔斎して、床の間に注連縄を張り、食料を準備し、隣室に終夜控えてわざわざ鬼を迎え入れ接待する。

建国記念の日

建国をしのび、
国を愛する心を養う。

もとは、初代神武《じんむ》天皇が橿原《かしはら》の地（今の奈良県橿原市）で即位した日（二月十一日）を日本の紀元として「紀元節《きげんせつ》」が定められていました。明治五年（一八七二）には「神武天皇御即位祝日例年御祭典」という太政官布告《だじょうかんふこく》によって、旧暦の一月一日にあたる一月二十九日が祝日とされました。明治六年の「五節ヲ廃シ祝日ヲ定ム」という太政官布告によって、「神武天皇即位日」となり、一月二十九日に諸式典が斎行《さいこう》されました。同年三月七日、太政官布告「神武天皇御即位日ヲ紀元節ト称ス」

によって「紀元節」に改称され、さらに紀元節の日付は二月十一日に改められ、翌年から適用されました。

紀元節は昭和二十三年（一九四八）に一度廃止されましたが、昭和四十一年（一九六六）に「建国記念の日」として国民の祝日となり、その翌年から適用されて今に至っています。

紀元節には全国の神社で「紀元節祭」と呼ばれる祭祀《さいし》が行われていたほか、国民の間でも「建国祭」として祭典が行われていました。

戦後、ＧＨＱ（連合国軍最高司令官総司令部）の意向で祝日から削除されたものの、日本国内で紀元節を復活させようという動きが高まり、建国を記念するための祝日を設けることになりました。

そうした経緯から、昭和四十一年（一九六六）の祝日法の改正によって、「建国記念の日」が国民の祝日に加えられて、翌年の二月十一日から施行されました。

全国の神社でも「紀元祭」「紀元節祭」として復活し、祭祀が行われています。

2月 23日

天皇誕生日

天皇の誕生日を祝う。

天皇誕生日は、今上《きんじょう》天皇の誕生日を祝う日です。

昭和二十三年（一九四八）までは、「天長節《てんちょうせつ》」と呼ばれる祝日でした。「天長」は老子の「天長地久《てんちょうちきゅう》」から取られており、皇后の誕生日は「地久節」と呼ばれていました。これは、天地が永久に不変であるように、天皇の治世《ちせい》が「変わらずに永遠に続く」ようにとの願いを込めて付けられたと考えられます。なお、「地久節」は祝日ではありませんでした。

天皇誕生日の日付は、諸外国の国王誕生日と同様、在位中の天皇の誕生日に合わせて移動するため、平成の時代は十二月二十三日、令和の今は二月二十三日となっています。

戦後、ＧＨＱの指示により、天皇にまつわる祝祭日もいくつか変わりました。天皇誕生日は残りましたが、かつての先帝祭も神武《じんむ》天皇祭もなくなりました。しかし明治天皇の誕生日は「明治節（明治時代の天長節）」から、名前を「文化の日」と変えて残っています。

「紀元節《きげんせつ》」はいったん廃止されましたが、戦後二十二年経った昭和四十二年から「建国記念の日」として復活しました。

平成の天皇のご譲位《じょうい》により、二月二十三日が天皇誕生日となりましたが、昭和の時代の天皇誕生日（四月二十九日）はじつに六十二年にわたって祝日でした。このためゴールデンウイークの一部に組み込まれ、長年親しまれた休日でした。平成十九年に「昭和の日」に変えて存続しています。

天皇誕生日には、皇居にて一般参賀が行われ、多くの国民が列をなしてお祝いに集います。通常は、午前中に天皇皇后両陛下、皇族方のお出ましがあり、午後には記帳できるようになっています。

恵方巻

もとは関西の行事で、今では全国的になりつつある「恵方（えほう）巻」。恵方とは、年神様が訪れる幸運な方角のことを指し、恵方巻は、節分にその方角、恵方を向いて食べる巻き寿司のことです。
出来上がった太巻きを一人一本持ち、恵方を向きます。しゃべると運が逃げてしまうと言われるため、願い事をしながら無言で食べきりましょう。

カンタン恵方巻の作り方

■ 材料（1本分）

焼き海苔（のり）／1枚
寿司飯／約250グラム
卵／1個
きゅうり／4分の1本
干しシイタケの含め煮／適量

1. ご飯を硬めに炊き、すし酢を混ぜてすし飯を作る。
2. 卵焼き、キュウリ、干しシイタケの含め煮など、お好みの具を準備する。
3. 巻き簀（す）の上に海苔をのせ、手前1センチ、奥3センチ程度あけてすし飯を広げる。
4. お好みの具をのせ、手前からしっかり巻き、巻き簀を外す。

※一帖海苔を半分に切って、巻き簀の代わりにラップを使うと、簡単に巻けます。

3月

弥生（やよい）

旧暦三月の異称。古来から木《き》草《くさ》弥《いや》生《お》い茂《しげ》る月、つまり草木のいよいよ生い茂る月という意味で、「きくさいやおいづき」が詰まってヤヨイとなったというのが有力。

3月

弥月 ——やよい

1

2

3

上巳《じょうし》の節句《せっく》

ひな祭り

p42

4

5 頃

啓蟄《けいちつ》

冬の間、地中で冬ごもりしていたいろいろな虫が穴を啓（ひら）いて地上にはい出してくるという意味。

6

7

16 頃

社日《しゃにち》

春分に最も近い戊（つちのえ）の日のこと。「社」とは生まれた土地の守護神である産土神を指し、春社という。この日は産土神に参拝して田の神を祭り、五穀の種を供えて豊作を祈る。

17

18 頃

彼岸《ひがん》

彼岸は七日間あり、中日を春分と呼び、昼と夜の長さがほぼ同じになる。お彼岸には祖先を敬い、しのぶために墓参りをする風習がある。

p46

19

20

21 頃

春分の日

p44

22

23

15 14 13 12 11 10 9 8

31 30 29 28 27 26 25 24

ひな祭りのそもそもの意味とは？

神祭り前に、罪や穢《けが》れを人形に移して祓《はら》い流した「ひな流し」がもとになり、やがて立派な人形を毎年出して飾るようになった。

三月になると春の兆しが野山に感じられ、農作業が始まります。古代の日本人は、身を清浄にし、神を迎えて祭らなければ農耕の成功はないと信じていました。

この神祭りの前に身を浄《きよ》める方法として、穢《けが》れを人形に移して祓《はら》い流したものが「ひな流し」です。人形はもともとスキ、アシ、チガヤなどの草や木、紙などで作られ、それに穢れを移して水辺から流した形代《かたしろ》でした。

古くは『源氏物語』の「須磨の巻」に、三月上巳の日に陰陽師《おんみょうじ》を召《め》して祓いを行い、人形を船に乗せて流したことが書かれています。流しびなは、しだいに立派な人形になって、それを保存して毎年出して飾るようになります。そして、流す前に祭ったのが「ひな祭り」となって、江戸時代には段飾りの立派なものになっていきました。それが現在、ひな壇《だん》に桃の花、白酒《しろざけ》、ひし餅を供え、その前で女子が会食を楽しむ風習となったもとです。また、神祭りの日に神事の食事の支度《したく》をする「飯事《ままごと》」が、今日、子供たちがするママゴトの源流になっています。

流しびなの雰囲気を楽しもう

ひなの作り方

準備するもの／赤白の折り紙、はさみ、A4サイズのフレーム（百円均一のものでOK！）

〈 折り紙を図のように切る 〉

1

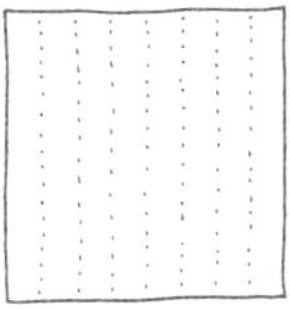

縦に八つ折りにする

2

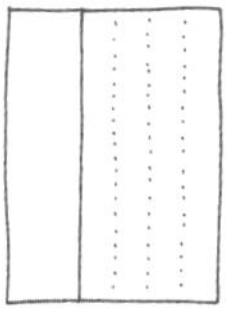

ひらいて2辺分折る

3

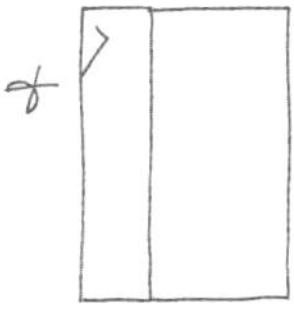

上から5mmあけ、図のように線を書き、ハサミで切る

4

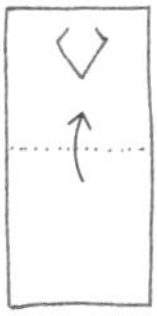

ひらいて縦半分に折り、点線のところに折り目をつける

5

折り目に向けて線の部分をはさみで切る

6

袖に見えるように2mmほどハサミで切り落とし、頭の部分を上に折ったら出来上がり！フレームに入れ、玄関やリビングなどに飾る

春分の日

――自然をたたえ、生物をいつくしむ。

春分の日のもとは、春分日に行われていた「春季皇霊祭《しゅんきこうれいさい》」です。

これは、天皇自ら、宮中三殿のひとつ皇霊殿において、歴代の天皇・皇后・皇親の霊を祀《まつ》る皇室の大祭であり、現在でも行われています。昭和二十二年（一九四七）まで、この名称の国の祭日でした。

戦後は、「春分の日」として国民の祝日になり、現在に至っています。

天文学的に「春分日」といわれる日が原則として「春分の日」となり、三月十九日から三月二十二日までのいずれか一日がそれにあたります。

その日付は、国立天文台によって、前年の二月一日に春分の日・秋分の日の日付が書かれた「暦要項《れきようこう》」（翌年の暦をまとめたもの）が作成され、官報で発表されます。

一般に、春分の日には「昼と夜の長さが同じになる」といわれますが、実際は昼の時間がやや長くなります。

かつての春季皇霊祭（春分の日）は三月二十二日でした。ただし、これまでのところ天文計算によって求められた「春分日」以外が「春分の日」とされたことはありません。

もともと日本人の中で、春の「お彼岸《ひがん》」として、先祖を祀る習俗がありました。春分の日を「お彼岸の中日」とし、その前後三日を加えて一週間をお彼岸として、多くの人がお墓参りを行い、祖先に感謝の念を表します。

立春は二十四節気の最初の節気であるとともに、一年の始まりを意味します。

この頃から暖かくなり、生物の活動も活発になります。ご先祖に感謝するとともに、自然の生き物のいのちを尊ぶ日にいたしましょう。

お彼岸《ひがん》は年に二回あるの？

お彼岸は春と秋に七日間ずつあり、その中日を春分と秋分と呼び、昼と夜の長さが同じになる。お彼岸には祖先を敬い、しのぶため墓参りをする風習がある。

「暑さ寒さも彼岸《ひがん》まで」といわれますが、本当にそんな感じがしませんか？

お彼岸は春分と秋分を中心に前後三日間ずつ、計七日、春と秋にあります。「分」には「ひとしい」という意味があり、昼と夜の長さが同じで、彼岸の中日《ちゅうにち》といわれます。

彼岸は仏教用語の到彼岸《とうひがん》の略で、川の向こう岸を意味し、理想の境地をいいます。煩悩《ぼんのう》と迷いの現世《げんせ》の世俗《せぞく》から、宗教的理想の境地に至る意味の「パーラム」からきており、仏教行事として寺参りや墓参りが中心です。お寺では彼岸会《ひがんえ》として先祖供養《くよう》の法要《ほうよう》をします。また、彼岸の中日には、墓参し、花や食物を供えて先祖を供養します。

かつて、彼岸の中日には「日迎《ひむか》え・日送《ひおく》り」というならわしがありました。朝は東に向かって歩き、日中は南をまわって、夕方には西に沈む太陽を拝むもので、「日のお伴《とも》」ともいわれます。健康になるという信仰とともに、落日が祖霊の蘇《よみがえ》りを可能にするという再生の思想、仏教の西方浄土《さいほうじょうど》という考えにもつらなり、彼岸の中日に、沈む夕日を天王寺《てんのうじ》（大阪・四天王寺《してんのうじ》）の西門から拝《おが》んで念仏を唱《とな》えれば、極楽《ごくらく》に往生《おうじょう》できるという信仰《しんこう》にまで広がります。

もち米で甘酒づくりはいかが？

カンタン甘酒の作り方

■ 材料

もち米／1カップ
水（炊飯用）／2カップ
麹（こうじ）／200グラム
水（冷まし用）／300CC

1. もち米を洗って水を注ぎ、炊飯器で炊く。
2. 炊けたら水300CCを注ぎ、60〜70度に冷まして、麹をほぐしながら入れ、よく混ぜる。この時、お米がダマにならないようしっかりほぐす。
3. 炊飯器の蓋を開けたまま、上に軽くタオルなどを掛け、保温にして5〜6時間おいておく。途中数回混ぜる。
4. スイッチを切って、冷ます。

水や牛乳、豆乳などで割ってお召し上がりください。麹から作るので、栄養があってノンアルコールで安心です。冷凍保存用袋に入れて冷凍すると、割って使う分だけ取り出せるので便利です。

4月

卯月
（うづき）

旧暦四月の異称。新暦では春たけなわの季節。旧暦では四月からすでに夏に入り、古来宮中では四月一日を更衣《こうい》（ころもがえ）の日としていた。ウヅキの由来は、『奥義抄《おうぎしょう》』に「うの花さかりにひらくゆゑに、うの花づきといふをあやまれり」と見え、以来「卯《う》の花月」の略が定説となっている。

4月

卯月《うづき》

1 2 3 4 5頃 6 7

清明《せいめい》

「清浄明潔」を略したもので「万物ここに至って皆潔斎なり」と称されるように、春先の清らかで生き生きした様子をいう。

16 17 18 19 20頃 21 22 23

穀雨《こくう》

百穀を潤す春雨をいう。春雨のけむるように降る日が多くなり、田畑を潤して穀物の種子の成長を助けるため種蒔きの好期だが、長引けば菜種梅雨となる。

15 14 13 12 11 10 9 8

8: 灌仏会《かんぶつえ》（花まつり）
p54

30 29 28 27 26 25 24

29: 昭和の日
p56

お花見に宴会がつきもののわけは？

サクラの花でその一年の豊凶を占い、
豊かな実りを祈るため、
神を祀り共食する宴会を花の下で
行ってきたことによる。

サクラが咲く頃になると、いつ咲くのかと待ちわび、花がほころぶと心が浮き立ちます。なぜ日本人はこれほどまでお花見に血が騒《さわ》ぐのでしょうか。

日本人がサクラを愛《め》でる習慣は、ずいぶん古くからのことで、『万葉集』にはサクラを歌ったものが四十数首もあるといわれます。古くから三月三日や四日を花見といって、酒《しゅ》肴《こう》を携《たずさ》えて見晴らしのよい丘の上で一日を過ごしました。

現代のお花見といえば、ほとんどがソメイヨシノですが、本来は、ヤマザクラやヒガンザクラなどでした。

サクラのサは、早苗《さなえ》、早乙女《さおとめ》のサと同じく穀霊《こくれい》の意味で、クラは神座《しんざ》を示すといいます。すなわち穀霊の宿る木を「穀霊の神座」としてサクラと呼んだのでしょう。サクラだけではなく、ウツギ、ツツジ、シャクナゲなどの山の花も花見の対象とされました。しかも、ただ見て興《きょう》ずるだけでなく、花を採って帰り、長い竹の先に結び付けて庭に立てる地域も広くあり、依代《よりしろ》として神を迎えるための目印としていました。

花見はもともと花の咲く状態によってその年の豊凶を予知する花占《うらな》いでした。今では単なる酒宴《しゅえん》になりつつありますが、豊かな実りを祈り、先に喜び、祝ってしまうことで現実を引き寄せるもので、神を祀《まつ》り共食する宴会を必要としたのです。

また、花は、世の中の良い悪いの予兆とも捉《とら》えられました。本来ハナという語は、花も端も鼻も同じで、先端を表す言葉です。植物の花は実りの先触《さきぶ》れ、春の花は秋の稔《みの》りの先触れとして花見をして花占いをしたのです。日本のお花見は、眺《なが》めるだけではなく、その下に入って花と触れ合い、サクラの花のもつ霊力に触れようという意識もありました。

コロナ禍の収まったあとのお花見は、サクラの花の下で豊かな実りを祈りつつ、一献《いっこん》傾《かたむ》けてみたいものです。

花鎮《はなしず》めとは？

日本人は、花の咲く頃に
疫病をもたらす神がやって来ると信じ、
それを鎮めてほしいとの願いを神事に託した。

日本の花祭りは、もともと山中に入って花を採って帰り、長い竹の先に結びつけて庭に立てるというものでした。これが四月八日の行事になると、神を迎える依代《よりしろ》として、天道花《てんどうばな》、高花《たかばな》、八日花《ようかばな》と呼ばれます。

四月八日は灌仏会《かんぶつえ》として、古くから法会《ほうえ》の日でもありました。「花祭り」ともいわれ、花御堂《はなみどう》ともいわれるほどに飾り立てて御堂の中の誕生仏に甘茶《あまちゃ》をかけます。お釈迦様生誕の折に、天から香水《こうずい》が降ったという伝説にもとづくとされています。

熱田《あつた》神宮における農事の豊凶を占う「花の塔」と呼ばれる神事（現在は五月八日）も有

名です。このほか、八日に限らず、花折始め、花供《はなく》、花会《はなえ》祭り、花供養《はなくよう》なども寺社と関係が深いものです。

花見で花占いをする日本固有の農耕儀礼が基礎となって、そこに仏教的行事が習合《しゅうごう》したのが「花祭り」であったと考えられます。

また、花の咲く春先は疫病《えきびょう》が流行する時期として、花祭りには疫神《えきじん》（やくびょうがみ）を送り出す意味もあります。奈良の大神《おおみわ》神社で催《もよお》される「鎮花祭」は、「ちんかさい」とも「はなしずめのまつり」ともいわれます。

京都の今宮《いまみや》神社の「やすらい祭り」は有名ですが、そこでの歌舞の一連の句の末尾に「やすらえ花や」という囃子詞《はやしことば》が付いているところから祭りの名称になったものです。この呼び名に、春先に流行しやすい疫神を鎮《しず》めてほしいという人々の願いが込められていたのです。

このような鎮花祭は、大神神社以外にも、奈良の春日《かすが》大社、滋賀の長等《ながら》神社などでも催されており、平安時代から続いているといわれています。

世界中に蔓延《まんえん》した新型コロナウイルスですが、日本各地の神社では終息の祈願が行われました。

4月29日

昭和の日

激動の日々を経て、
復興を遂げた昭和の時代を顧《かえり》み、
国の将来に思いをいたす。

もとは、昭和天皇の誕生日である四月二十九日は「天皇誕生日」という祝日でしたが、昭和六十四年（一九八九）一月七日の昭和天皇崩御《ほうぎょ》（死去）により、平成の天皇の誕生日に移行する形で廃止となるところを、祝日として残すため、名称を変更する必要が出ました。

当初は「昭和記念日」という案も挙がっていたものの見送られ、「みどりの日」へと改められました。平成元年から十八年まで「みどりの日」の名称として親しまれ、その間、国会において三度の法案提出を経て、「昭和の日」という祝日になりました。なお、それによって五月四日が

「みどりの日」の名称で祝日となっています。

先帝の崩御日については、かつては先帝祭（明治期は孝明《こうめい》天皇祭、大正期は明治天皇祭、昭和期は大正天皇祭）として休日となっていましたが、現行の祝日法では休日ではありません。

そのため、先帝の崩御日ではなく誕生日を活かして「昭和記念日」など、昭和にちなんだ新祝日として存続させる案が早くから出ていましたが、その案は見送られ、平成元年（一九八九）以降の四月二十九日は、「みどりの日」という名称の祝日に改められました。

時代が令和になって以後も昭和の日のまま継続していますが、退位後もお元気であられる上皇陛下の誕生日である十二月二十三日は、祝日から外れて平日に戻っており、この日の扱いが今後どのようになるかは決まっていません。

六十四年も続いた昭和の時代は、戦争と敗戦、焼け野原からの奇跡的な復興、つまり世界第二位にのぼりつめた経済成長と、まさに激動の時代でした。今ある豊かさや平和に感謝し、国の将来に思いをいたす日にしたいものです。

日本人の通過儀礼

四月は入園、入学、就職など、人生の節目になる行事が多い季節ですね。日本人はむかしから、生まれてから亡くなるまでさまざまな通過儀礼を行ってきました。

帯祝い

妊婦の妊娠五か月目の戌の日に安産を祈願して腹帯（岩田帯）を巻いて祝う。

お七夜《しちや》

子供が生まれて七日目の夜に、名前を書いた紙を床の間に飾り出生を祝う。

お宮参り

生後一か月頃に土地を守る氏神様にお宮参りをし、健やかな成長を祈る。

お食《く》い初《ぞ》め

生後百日目に行う。食べるまねごとを行い、一生食べ物に困らないことを願う。

初《はつ》誕生祝

満一歳の誕生日に一升（しょう）の餅をついて丸もちを作り子供に背負わせる。力強く育つことを願う。

七五三

男の子は三歳、五歳。女の子は三歳、七歳に成長の節目を祝う。

成人式

満二十歳に成人を祝う。現在は一月の第二月曜。

結婚式

夫婦となることを誓う儀式。

厄年《やくどし》

災いに遭（あ）いやすく、忌み慎（つつし）むべきとされる年齢。

長寿祝い

還暦（かんれき）、古希（こき）、喜寿（きじゅ）、傘寿（さんじゅ）、米寿（べいじゅ）、白寿（はくじゅ）など節目の時に長寿を祝う。

葬式

亡くなった人を葬（ほうむ）る儀式。

5月

皐月（さつき）

旧暦五月の異称。早月とも書く。この月は田植えが盛んで、早《さ》苗《なえ》を植える月の意味で早苗月といったのを略してサツキとなったといわれる。また、サツキのサは、穀霊《こくれい》の意で、そこから稲を植える月の意味になったともいわれる。

5月

皐月 ——さつき

1

2 頃

八十八夜《はちじゅうはちや》

立春から数えて八十八日目のこと。「八十八夜の分かれ霜」といわれ、遅霜の時期。注意を喚起するため特別に暦に記した。茶摘み、苗代の籾まきなどの目安として重要な節目。

3

憲法記念日

p62

4

みどりの日

p64

5

こどもの日・端午の節句《せっく》

p66

6 頃

立夏《りっか》

山野に新緑が目立ち始め、風もさわやかになって、いよいよ夏の気配が感じられる。気象的には、いまだ春といった感が強い頃。

7

16

17

18

19

20

21 頃

小満《しょうまん》

万物しだいに長じて天地に満ち始める、という意味から小満といわれる。気象的にはこの頃から梅雨となる年が多い。

22

23

8 9 10 11 12 13 14 15

24 25 26 27 28 29 30 31

5月3日

憲法記念日

日本国憲法の施行を記念し、
国の成長を期する。

日本国憲法は、昭和二十一年（一九四六）十一月三日に公布《こうふ》され、翌年の五月三日に施行《しこう》されました。

施行日には、皇居前広場で日本国憲法施行記念式典が開かれて、約一万名の人々が集まったほか、東京では憲法施行を祝って花火が打ち上げられ、祝賀の花電車が町中を走りました。

また、帝国劇場では、憲法普及会（芦田均会長）主催による「新憲法施行記念祝賀会」が盛大に行われ、全国各地でも、記念講演会等が催《もよお》されるなどの賑《にぎ》わいようでした。

その翌年に、五月三日を憲法の施行を記念する「憲法記念日」として、国民の祝日と定められました。

日本国憲法の公布の日については昭和二十一年十月二十九日の閣議でいろいろと論議がありましたが（一三三ページ参照）、結果的に公布を十一月三日（明治節＝明治天皇のお誕生日）にすることになりました。

こうして日本国憲法は、十一月三日に公布、翌年の五月三日に施行となりました。

昭和二十三年、新憲法に基づく新たな国にふさわしい祝日を定めるため、「国民の祝日に関する法律」案の審議が行われました。同法の審議は、新憲法に基づいて設置された国会の衆議院と参議院で、それぞれの文化委員会において行われました。

憲法記念日をいつとするかについて、当初、衆議院では施行日の五月三日、参議院では公布日の十一月三日とする意見が多く出ましたが、結果的に、先に審議を行った衆議院の意見を尊重し、五月三日とする法案が可決されました。

5月4日

――みどりの日

自然に親しむとともに
その恩恵に感謝し、豊かな心をはぐくむ。

かつて五月四日は「憲法記念日」と「こどもの日」に挟《はさ》まれた平日でした。昭和六十年（一九八五）に祝日法が改正され、祝日と祝日に挟まれた平日が「国民の休日」となり、その後、「みどりの日」と定められました。

「みどりの日」は、もとは四月二十九日の昭和天皇の誕生を祝う「天皇誕生日」の名称を改めたものでしたが、「昭和の日」が成立したことにより、それまで「国民の休日」であった五月四日に移動しました。

なお、「みどりの日」の名称は、昭和天皇が自然を愛され、生物学者として活躍されたことに由来しています。

四季のはっきりした豊かな環境の中で、日本人は自然とともに暮らし、自然に逆《さか》らわず、自然の恵みに感謝して生きてきました。

五月は草花が芽吹《めぶ》き、新緑が輝く美しい季節です。ゴールデンウイークの楽しみの中で、日本の美しい自然にひたり、自然とともに生きてきた先人の心を感じるひとときをもちたいものです。

近所の公園など花や木が見られる場所に出掛けて、観察するのもよいでしょう。写真を撮れば、自宅で図鑑やインターネットを利用して草木の名前や特徴を調べることもできます。庭やベランダなどのスペースに、好きな植物や野菜などを植えてみるのもよいですね。成長を楽しみにできるだけでなく、食育にもつながるでしょう。

親子で植物に関するクイズを出し合うのもおすすめです。例えば「どうして葉の色が変わるのか」「どうしてひまわりは太陽の方角を向くのか」等、疑問をもって自然に近づいてみると、意外に知らないことがたくさんあるものです。

5月5日

こどもの日

こどもの人格を重んじ、こどもの幸福をはかるとともに、母に感謝する。

五月五日は、古くより「端午《たんご》の節句」として男の子の健やかな成長を願う行事が行われ、また七五三以降は、尚武《しょうぶ》の気運を奨励されてきました。このように、もとは男の子対象の行事でしたが、近年は子供全般を対象とする傾向にあります。

端午は五月の初めの午《うま》の日のことで、中国でも五月五日を端午と呼ぶようになって日本に伝わったようです。この日はショウブやヨモギを軒《のき》に挿《さ》し、鯉のぼり・武者人形を飾り、チマキ・カシワモチを食べる習俗が広くあります。この中で、ショウブやヨモギの行事は古くからのもの

ですが、その他の多くは江戸時代以降のものです。

五月を悪月《あくげつ》とした中国では、ショウブ、ヨモギ、センダンなどの香気で毒気を祓《はら》う習俗がありましたが、日本では女性たちが田の神の祭り主として田植えの前にショウブやヨモギを軒に挿した家に籠《こ》もって過ごす習俗があり、それらが合わさって「端午の節句」という名を借りて定着し、それがしだいに男児の祝日に変化発展したと考えられています。

「こどもの日」に菖蒲湯《しょうぶゆ》に入る由来は、端午の節句の歴史と深い関係があります。

端午の節句にショウブを使用する風習が日本に伝わり、平安時代には宮中行事として端午の節会《せちえ》が行われます。端午の節会では、香りの強いショウブを身に付けたりショウブを丸く固めたものを飾ったりしました。

鎌倉時代から江戸時代になる頃には、端午の節句は男の子の行事として認知されます。当時は武家社会だったため、「勝負」「尚武」などの言葉にかけられたショウブに、男の子が逞《たくま》しく成長することを願いました。菖蒲湯は体をいたわるだけでなく、厄除《やくよ》けの効果や子供の成長を祈るためのものです。

端午《たんご》の節句にショウブ？

香りで邪気を祓うとともに、
尚武や勝負の語呂合わせから。

もともとショウブは植物の菖蒲《しょうぶ》で、万葉の時代にはアヤメグサと呼ばれていました。現在のハナショウブとは異なり、その花は目立つほどのものではなく、香りのよいその葉を、植物のつるや枝を飾りにしたカズラにして髪に挿《さ》したり衣服につけたりしたものです。

ヨーロッパに月桂冠《げっけいかん》があるように、中国でも紀元前から植物の香りを身につけることは、香気が邪気《じゃき》を祓《はら》い、身を清浄にすると考えられ、ヨモギの一種を身につけると毒を消し、災《わざわ》いを避《さ》けると信じられていました。

日本でも平安時代の『枕草子《まくらのそうし》』の描写によると、ヨモギとともにショウブの香りを称《たた》え、さらに民家でも軒などに挿すことを競《きそ》ったことがわかります。今なら、さしずめハーブの効果といえます。

ショウブは、その音から尚武や勝負に当てられて端午《たんご》が男子の節句になったのは、中世以後の貴族や武家社会になってからのようです。この風習が民間にも移って、現在に続いているわけです。

鯉のぼりは、中国の憂国の志士、屈原《くつげん》が汨羅《べきら》の淵《ふち》（中国湖南省北部の川）に身を投じた時に鯉が背に乗せたという伝説があり、鯉は竜門を昇って竜になるといわれ（「登竜門《とうりゅうもん》」もここから来ています）、出世するシンボルとされたのが根拠のようです。日本では、度胸の良さを男子の祝いに結び付ける由縁《ゆえん》もあります。

一般に出世魚といわれているのは、ブリなどが稚魚から成魚になるまでにその名を変えるところから、武士が出世するにしたがって名前を変えたのにちなんで呼ばれるようになったものですが、鯉は出世魚といわれながら名前が変わらない魚です。

こどもの日の雰囲気を楽しもう

かぶとの折り方

リビングや玄関に飾ったり、
小さな折り紙で作ると箸置きにもなります。

1

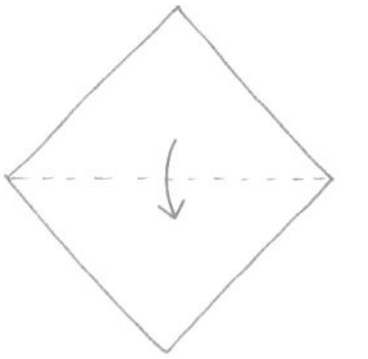

三角に折る

2

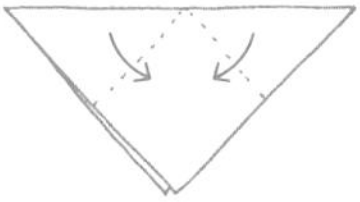

真ん中に向けて点線で折る

3

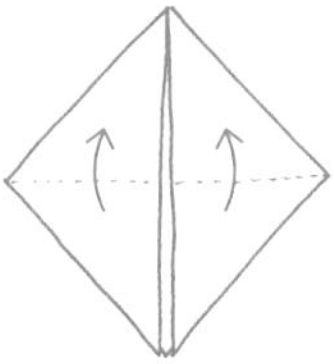

点線で折る

4

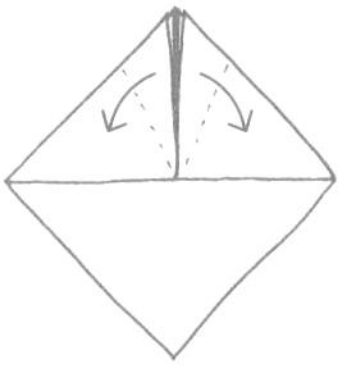

点線で折る

5

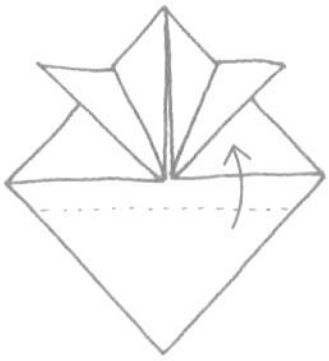

点線で折る

6

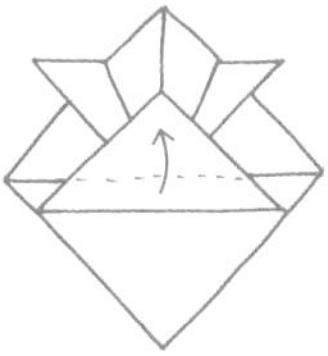

点線で折る

7

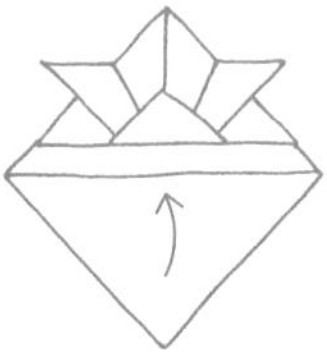

中に折り入れる

8

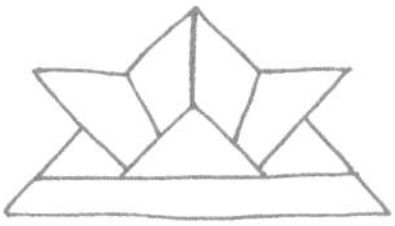

出来上がり！

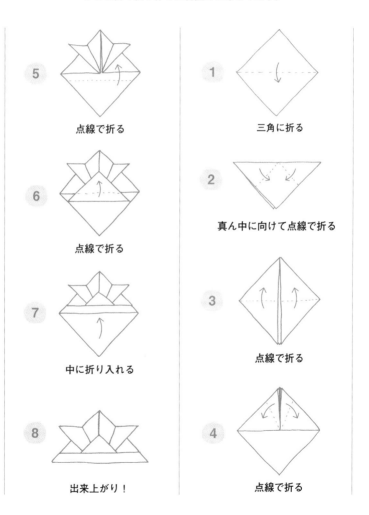

6月

水無月（みなづき）

旧暦六月の異称。みなつきともいい、その由来は字の通り「水無月」で、梅雨も終わって水も涸《か》れ尽きるという説がある。これとは逆に田植えも済み、田ごとに水を張る「水張り月」「水月」であるという説もある。ミナヅキは水の月で、水無月というのは当て字とされる。

6月

水無月《みなづき》

7 6頃 5 4 3 2 1

芒種《ぼうしゅ》

雨が間断なく降り続き、農家は田植えの準備などに多忙の頃。芒種は稲や麦など芒（のぎ）のある穀物、稲を植えつける季節を意味している。

23 22 21頃 20 19 18 17 16

夏至《げし》

北半球では昼が最も長くなり、反対に夜が最も短くなる日。夏至は夏季の真ん中にあたり、梅雨の真っ盛りで、しとしとと長雨が続き、田植えに繁忙を極める頃。

15 14 13 12 11頃 10 9 8

入梅《にゅうばい》

梅雨の季節に入る最初の日。「つゆいり」「ついり」ともいう。農家にとっては田植えのために重大な節目。入梅の語源は、梅の実が熟する、が一般だが、カビが生じやすいから「黴雨（ばいう）」、梅雨になったともいわれる。

30 29 28 27 26 25 24

大祓《おおはらえ》

p74

六月の晦日（みそか）に行われる夏越の祓え。人々の犯した罪や穢れを除き去るために行われる神事。現在では全国各地の神社で執行され、茅の輪をくぐる「茅の輪祭り」などの名称が多い。

年に二度ある節目の祓《はら》いとは？

今も宮中祭祀として続く「大祓《おおはらえ》」は、神話を起源としている。夏を越すための夏越《なごし》の祓え、年越しの祓えで、国中のツミやケガレを祓い清める行事。

今では六月には、節句という呼称はほとんど見られませんが、もともとは正月とともにひとつの大きな節目で、「夏越《なごし》の節供《せっく》＝六月末日をもって行われる式または祭」があります。この夏越は名越とも書かれ、疫病や災厄の多いとされる夏の名を越して（過ぎ去ったものとして）災厄を祓《はら》うこと、また「和（なご）し」で神霊の心を和《やわ》らげるとの説もあります。

自分では気づかない罪や穢《けが》れを年に二度、祓い浄《きよ》めるという感覚が伝統的に受け継がれ、茅《ち》の輪《わ》くぐりや人形流しなどを通して、身の不浄《ふじょう》を祓い落とすことができると考えていました。

この災厄除《よ》けは、本来宮中の年中行事として、六月と十二月の晦日《みそか》に行われる、万民のツミやケガレを祓う「大祓《おおはらえ》」でした。六月を名越の祓え、十二月を年越しの祓えともいいます。

この行事は、イザナギノミコトの禊祓《みそぎはら》いを起源としており、古い伝承をもつ「大祓詞《おおはらえのことば》」をみると、人間が犯すと思われるいろいろな罪が、神々によってどのように祓われていくかが述べられており、半年ごとに国中のツミやケガレが浄められるとしていました。今でも宮中祭祀として、六月三十日と十二月三十一日に「大祓」として神嘉殿《しんかでん》の前で、皇族をはじめ国民のために行われるお祓いが続けられています。

ツミやケガレを祓うという感覚は一般の家々でも受け継がれていて、田植えのあとに稲の成長を祈り、新しい季節に入るための忌《い》み籠《ご》もりの日として農事を休み、茅の輪くぐりや禊ぎをしたのです。人間だけでなく、牛馬を海や川で水浴させたりもしています。こうしたことから、ミナツキは「みそぎの月」から転訛《てんか》したという説も出てきます。

茅《ち》の輪《わ》くぐりとは？

茅の輪をくぐることで、
自分自身でも気がつかなかった
半年の穢《けが》れを清めて
災厄を祓《はら》うための神事。

茅《かや》で編んだ大きな輪をくぐる「茅の輪くぐり」は、心身を清めて災厄を祓《はら》い、無病息災を祈願する夏越《なごし》の祓えを象徴する行事です。

『備後国《びんごのくに》風《ふ》土《ど》記《き》』に記された蘇《そ》民将来《みんしょうらい》の逸話《いつわ》に由来するもので、スサノオノミコトが女神のもとに行く時、巨旦《こたん》将来（弟）という富家《ふか》に宿を求めたが断られ、兄の蘇民が貧しいながらも快く宿を貸しました。スサノオノミコトは、蘇民の家人に小さな茅の輪を腰につけて印として、疫病が流行した時に災いが及ばないようにし、その教えを守った蘇民将来は難を逃《のが》れられたという伝承です。古来日本では、カヤ（茅）は、呪術の具として、魔祓いの力や神意を占う力があると考えられており、夏を迎えるこの時期、疫病が流行ることが多かったため、茅の輪くぐりが行われるようになったのでしょう。

むかしは茅の輪を腰につけて無病息災を願いましたが、江戸時代からは大きな輪をくぐるようになったようです。今では神社での行事がほとんどで、カヤやワラで大きな輪を作り、鳥居《とりい》や拝殿の前に立て、人々は、「みな月の夏越の祓えする人はちとせの命《いのち》のぶというなり」と唱えながら、それを左、右、左と三度くぐります。また、紙を人形に切ったもので身体をなで、川や海に流すことで身の穢《けが》れを祓うまじないもします。

茅の輪くぐりの手順

1. 手水舎で手と口を清める。
2. 茅の輪の前に立ち、本殿に向かって一礼。
3. 唱え言葉を奏上しながら❹〜❻を行う。
4. 左足で茅の輪をまたぎ、茅の輪の左側を回ってから正面に戻って一礼。
5. 次は右足で茅の輪をまたぎ、茅の輪の右側を回ってから正面に戻って一礼。
6. もう一度❹の要領で回り、一礼後、茅の輪をくぐり抜けて本殿にお参りする。

※地域や神社によって唱え言葉やくぐり方が異なる場合もあります。

塩の力とは？

会葬後の「浄《きよ》めの塩」や盛《も》り塩など、
穢《けが》れや不浄《ふじょう》を祓い、
場を浄める力が塩にあると考えられていた。

塩は、人間にとって欠かせない食品であり、日本人にとっては、海水から煮詰めて作るので、山深い里では入手しにくいものでした。

一方で、日本人は、穢れや不浄を祓う力が塩にあると考え、祭場や祭具、神棚などだけでなく、炉、カマド、井戸などにも盛《も》り塩をして浄《きよ》めました。相撲《すもう》の土俵《どひょう》を力士が塩で浄めるのは有名ですが、芸能の舞台までも浄めたりします。葬式帰りの際に塩を踏んで浄めたり、会葬御礼に「浄めの塩」がついたりするのも、同じような考えからです。

もとは塩ではなくて、海水（潮水）を用いたと考えられ、海沿いの村などでは毎朝海水を竹筒に汲《く》み神仏に供《そな》えたり、家の入り口にかけたりしました。海水は、水とともに身の穢れを祓うための禊《みそ》ぎの習慣からで、海水を入手しにくい地方で、塩へと変化したようです。

また、地域だけでなく、時代的にも変化が見られます。

葬式儀礼における浄めには、米糠《こめぬか》、酒、味噌《みそ》、茶、餅など、各種のものが使われていました。しかし、湯灌《ゆかん》や土葬《どそう》のための穴掘りがなくなると、しだいに浄めに酒を飲むことがなくなり、ついで浄めのための米、味噌、魚、豆などを食べる習俗も忘れ去られていきます。しかし、酒や茶は会葬御礼の品に使われ、浄めの中心は塩になり、そのシンボルとして存続しています。

盛り塩とは、塩を小皿に盛り、玄関などに置くものです。災難を祓い、運が開けるようにと願いを込めて行われている風習です。

平安時代には盛り塩の文化がすでにあり、当時は家の入口に塩を盛ることで、塩が好物の牛が足を止めるため、牛車に乗った高貴な方を自宅に招き入れることがかなうと考えられていました。その後、徐々に盛り塩は縁起《えんぎ》が良いものとして定着していきました。

きれいな盛り塩を作るには、折り紙を丸く切り、中心に向けて一本切れ目を入れて、円《えん》錐形《すいけい》を作り、それにあら塩を入れて固め、小皿に盛ることで簡単にできます。

梅を楽しむ

６月は梅の実がなる季節。
梅仕事の中でも手軽で始めやすい
梅ジュースの作り方をお伝えします。

梅ジュースの作り方

■ 材料　青梅／１キロ
氷砂糖／１キロ
保存瓶／３～４リットルのもの

1　梅は熟す前の青梅を準備する。

2　梅の黒いへたを、つまようじなどで一つずつ取り除く。

3　梅を洗って水けを切る。水分が残らないようにしっかり乾かす。

4　保存瓶は熱湯消毒し、アルコールか焼酎をしみこませた布巾でふきあげておく。

5　③の青梅を氷砂糖と交互に保存瓶に入れる。保存瓶は日の当たらない冷暗所に置く。

6　翌日から１日に２～３回、瓶をくるくると傾け、全体にシロップが回るように混ぜる。

7　梅全体が隠れるほどシロップが出てきたら混ぜるのを終え、冷暗所で味をなじませる。

8　１か月後くらいから水や炭酸水で薄めて、梅ジュースとして楽しめます。梅は取り出し、シロップのみ残して早めに飲み切りましょう。

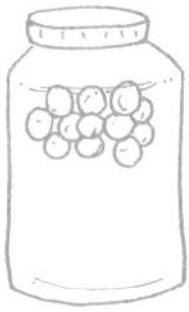

※酢やリンゴ酢を１カップ入れて作るとカビにくく、甘酸っぱい味になります。

7月

文月（ふみづき）

旧暦七月の異称。ふづきともいう。文月の語源は、七夕《たなばた》行事に詩歌を牽牛《けんぎゅう》・織女《しょくじょ》の二星に献《けん》じたり、書物を曝《さら》す風《ふう》があるので文月といわれる。しかし、詩歌を献じる風習は日本にはなかったことから、稲の「穂含み月」や「含み月」から来たという説もある。

7月

文月——ふみづき

1

2 頃

3

4

5

6

7

半《はん》夏《げ》生《しょう》

夏至から十一日目にあたる。梅雨の終期にあたり、農家ではこの日までには田植えをすませる習慣があった。半夏とは、仏教で九十日にわたる夏安居（げあんご）の中日の称で、植物ではサトイモ科の多年草で、茎の頂上の葉が白く変化して化粧したように見えるものをいい、これが目立つ時期をさしたもの。

七夕の節句《せっく》・小暑《しょうしょ》（7日頃）

p84

この日から暑気に入る。暑中見舞いも出される頃。梅雨が明けはじめ、暑さが本格的になる。

16

17

18 頃

19

20 頃

21

22

23 頃

海の日

p92

土用《どよう》

p94

本来は立春、立夏、立秋、立冬の前の十八日間のこと。この期間を「暑中」といい、暑中見舞いを出す季節。土用うなぎ、土用しじみ、土用卵など、昔から猛暑の時期には食養生のならわしがあった。

大暑《たいしょ》

ますます暑くなり、一年中で最も気温の高い酷暑の季節という意味。梅雨明けの頃。

15 14 13 12 11 10 9 8

お盆

p88

31 30 29 28 27 26 25 24

七夕《たなばた》の物語の由来とは？

機《はた》を織る女性を意味するタナバタツメに「七夕」を当て、タナバタと読む。二つの星が七月七日に最も接近することから七夕の物語ができた。

七夕といえば、枝いっぱいの笹竹に五色《ごしき》の短冊《たんざく》や千代紙《ちよがみ》の輪つなぎや折り紙細工《ざいく》が吊《つ》り下げられ、いろいろな願いごとが記されます。今では七夕祭りといって、東北の仙台や関東の平塚などが有名です。

日本では、古くは神を迎える乙女が水辺の棚に設けられた機屋《はたや》に忌《い》み籠《ごも》って禊《みそ》ぎをし、翌朝、神に人々の穢《けが》れを持ち去ってもらうようにするのがタナバタツメ（棚機女）の役目でした。ここからタナバタの語が伝わり、これに七月七日の「七夕」を当てたので、タナバタと読むようになったようです。

七夕には、中国の星伝説「牽牛《けんぎゅう》・織女《しょくじょ》」の話が早くからあります。ふだんは天の川《あまがわ》を挟《はさ》んで東西に位置している牽牛星（和名は彦星《ひこぼし》、牛飼《か》いの男性）と織女星（和名は織姫《おりひめ》、機《はた》織《お》りの女性）が、七月七日に最も接近するところから、引き合う男女の話が生じたのでしょう。中国では、娘の織女が明けても暮れても機織りに精を出しているのを父の天帝が哀れんで牽牛と結婚させたところ、織女は仕事を放り出してしまうようになり、怒った天帝が二人を天の川の両岸に別居させ、年に一度だけしか会えないようにしたと伝えています。

日本には、「天人女房《てんにんにょうぼう》」という昔話があり、天女《てんにょ》が水浴びをしているのを見てしまった若者が、天女の羽衣《はごろも》を隠し、天に帰れなくなった天女を妻とします。子供が生まれ、その歌から羽衣の隠し場所を知った天女は子供を連れて天に飛び去ります。若者は、天女が残していった瓜《うり》の種から出たつるを登って天上に行き、天帝の難題を天女の援助で解決していきます。しかし、禁じられていた瓜を縦に割って、そこから出た大洪水に流されてしまいます。この川が天の川で、天女が若者に「七日七日に会おう」と言ったのを、若者は「七月七日」と聞き違えたので年に一度しか会えなくなってしまったというお話です。

年に一度の逢瀬《おうせ》しか許されない二つの星のロマンスは、万葉人も多く歌にしていますが、不思議なことに、願いごとを叶《かな》えてもらうとか、竹や笹を飾る歌は一首もありません。

七夕に竹や笹を使うのはなぜ？

竹には強い霊力が宿ると信じられていたため。

日本の七夕には竹や笹がつきものです。竹は『古事記《こじき》』のむかしから呪術にも使われるなど、竹という植物自体に霊性があると信じられていました。

ハルヤマノカスミオトコは、兄が自分との約束を守らないので、それを母神に告げます。母神は兄を懲《こ》らしめるために竹で籠《かご》を作り、川の石に塩をまぶして竹の葉に包んで入れ、カマドの上に置いて呪文《じゅもん》を唱えます。兄は八年間病《や》み萎《な》えて苦しみ、ついに母に許しを請《こ》い、まじないを解いてもらったと伝えています。

竹や笹は、正月の門松をはじめ、小正月のドンド焼きの竹柱、盆棚の支柱、地鎮祭《じちんさい》の祭場に竹を四方に立てたり、水田に落雷があったら四方に竹を立てることなどから、儀礼の際に神霊の存在場所を示すという役割があります。

また、竹は成長力が旺盛であることから、神事の弓矢に使われるなど、破魔《はま》の威力や、茎《くき》の中空には霊魂が宿ると信じられていました。その葉ずれの音は神霊を招くものとして、天《あま》の岩戸《いわと》の前のアメノウズメノミコトも笹を手にして舞いました。今も湯立《ゆた》ての神楽《かぐら》では笹の葉で湯をかけて浄めており、神楽舞いの時に笹を手草《たくさ》として持つ例も多くあります。

七夕の雰囲気を楽しもう

七夕飾りの作り方

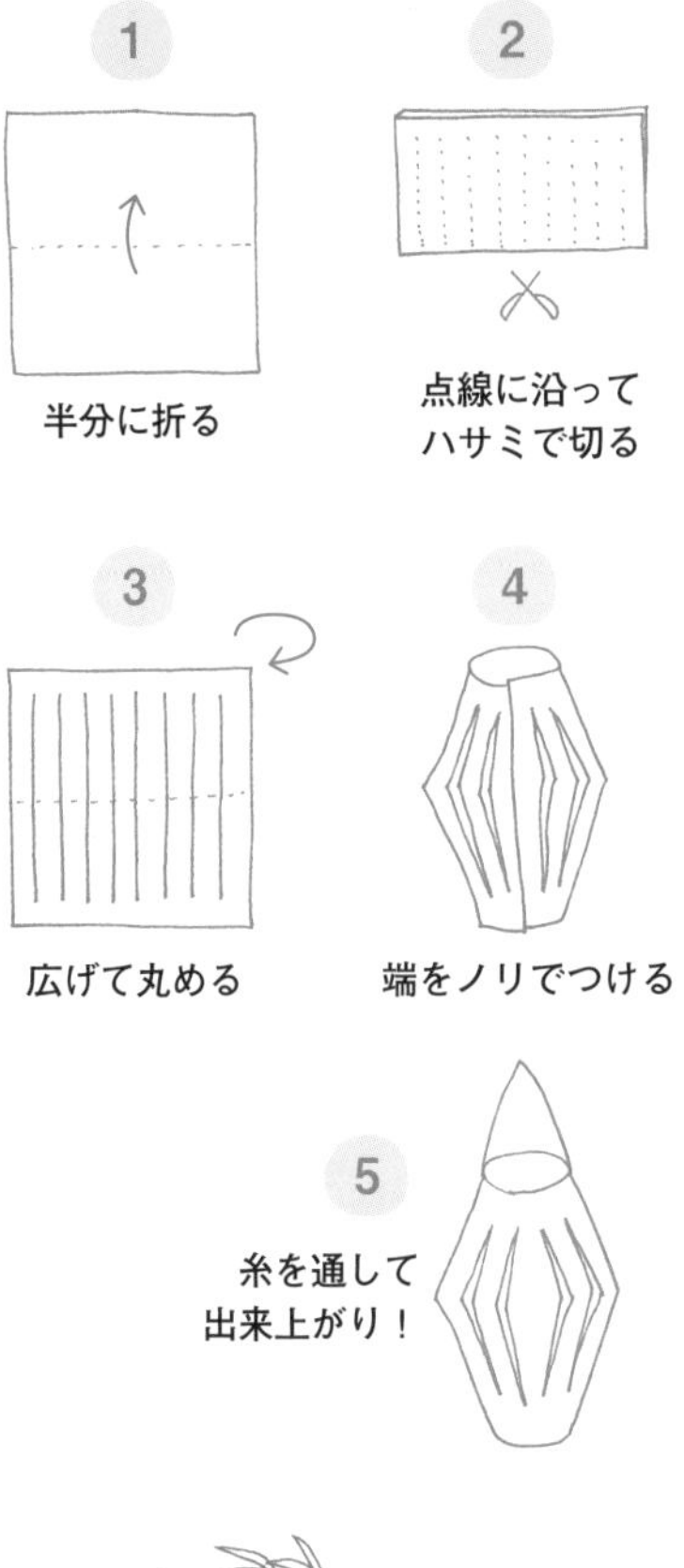

半分に折る

点線に沿って
ハサミで切る

広げて丸める

端をノリでつける

糸を通して
出来上がり！

お盆にはどんな意味がある？

もとは、先祖霊を祀《まつ》る行事と
生きた親への供養《くよう》の意味があった。

お盆は、現代の日本人にとっても、正月とならぶ二大年中行事。ひと言であらわすと、先祖の御霊《みたま》を迎えて供養《くよう》する期間といえるでしょう。

そもそもお盆はどこから来たかというと、お盆は盂蘭盆《うらぼん》ともいわれ、その起源は、インド・中国の仏教行事にあるとされています。目連《もくれん》という僧が、ものをむさぼる慳貪《けんどん》の罪で地獄の餓鬼道《がきどう》に堕《お》ち、逆《さか》さに吊《つ》るされて苦しむ母を救おうとして、釈迦《しゃか》に教えを請《こ》うたところ、七月十五日に多くの高僧を供養するように言われ、そのようにしたところ母が救われたという故事に由来します。

しかし、目連が母を救ったのは個人的な救済であるのに対し、日本での盆祭りは、家ごと、村ごとなどの集団的な祈願供養でした。

日本のお盆では、盆棚とか精霊棚《しょうろうだな》といって仏壇とは別に棚をしつらえ、祖霊《それい》が宿る位牌《いはい》の前にたくさんの供物《くもつ》を並べたてます。これはあたかも祖霊が百味《ひゃくみ》の飲食を受けているようにも見えますが、供《そな》える対象がそれぞれ異なること、さらに別に棚を作るのは、祖霊が祀《まつ》りの時期だけに訪れると考えられており、日本独自の風習だったようです。

「お盆の間は精進料理《しょうじん》」として、生ぐさいものを嫌う傾向がありますが、日本の生見玉《いきみたま》（生身魂）という習俗では、わざわざ盆の間に魚取りをして、生きている親に供《きょう》したりします。また生存中の親に対して刺鯖《さしさば》（サバを背びらきにして塩漬けにしたもの）などの盆肴《ぼんざかな》を贈ったり食べたりします。この習俗は、生きている親や年長者を祝うもので、全国的に見られます。「生きた親に対する供養」「生ぐさいものを用いる」などの点で、一般のお盆の通念と大きく異なっています。これは生者の霊魂を強化する呪術的意味もありました。

また、正月にも「生見玉」の習俗が行われている例からも、盆と正月という年に二度の先祖の魂祭りがあったと考えられています。しかし、仏教の影響が強まるにつれて、盆は死者供養の観念が強くなり、生者への祝いは私たちの生活から遠くなってしまいました。

お盆の期間に家では何をする？

先祖の御霊《みたま》をお迎えして供物《くもつ》を盛って供養を行う。

日本の各地では七月七日をボンハジメ、ナヌカボンといい、墓や墓への道を清掃します。また、八月一日を八朔盆《はっさくぼん》といって、盆の終わりとするところもあります。時間の流れとともに、しだいに七月十三日から十五日の期間になっていったようです。

お盆の期間は実際には八月に行うところが大半です。これは旧暦と新暦の関係で、明治政府が西洋にならって太陽暦（新暦）を採用したところ、東京周辺では七月にすんなり移行できたのに対して、地方では農事とお盆の感覚が新暦に合わず、八月十三日から十五日（旧盆）として残ったようです。

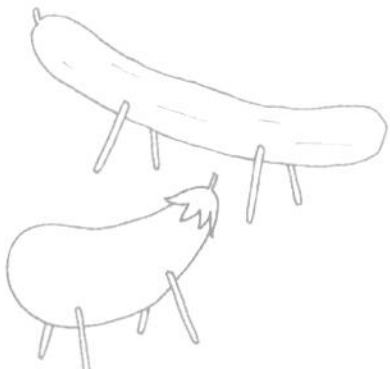

「盆」という言葉は、供物《くもつ》を盛る、または配膳に用いる器でもあり、また盆行事そのものも指します。も指します。どちらが本《もと》であったかは定かではありませんが、いずれにしろ、盆行事の中心が、死者、仏に対する盛大な供え物にあったことには違いありません。

迎え火、送り火

先祖の御霊《みたま》をお迎えすることを「迎《むか》え火《び》」といい、盆行事が終わってお送りすることを「送《おく》り火《び》」といいます。「迎え火」と「送り火」の風習は、地方や宗派によって異なりますが、だいたいにおいて、十三日に迎え火を焚《た》いて先祖をお迎えし、十六日に送り火であの世にお送りする、というのが共通するようです。

キュウリとナスに四本の足を付けているものを見たことがある方もいるでしょう。精《しょう》霊馬《りょううま》・精霊牛といって、先祖が行き来する乗り物とされています。迎え火の時は、できるだけ早く先祖が帰ってくるように、キュウリを早い馬に見立てて置き、送り火の時は、少しでもゆっくり帰っていただくように、ナスを牛に見立てて置きます。

お盆の期間は、来ていただいた先祖に、家族が食べるものと同じ食事をお供えして供養を行います。

7月の第3月曜日

海の日

海の恩恵に感謝するとともに、
海洋国日本の繁栄を願う。

「海の日」は新しい国民の祝日です。平成七年（一九九五）に制定され、翌年より施行されましたが、制定当初は七月二十日が「海の日」でした。七月二十日は、明治九年（一八七六）に明治天皇が東北地方を巡幸《じゅんこう》された折に、青森から函館を経由して横浜に到着された日であることから、昭和十六年（一九四一）、海運の重要性を認識し、海運・海事関係者に感謝することを趣旨とした「海の記念日」が制定されました。その後、平成十三年の祝日法改正によって、十五年から七月の第三月曜日となり、土・日・月の三連休となりました。

海の日が制定されて以降は、七月二十日から三十一日までを「海の旬《じゅん》間《かん》」とし、国土交通省が自治体や諸団体とともに国民の海に対する親しみや理解の向上を目指してさまざまな活動を行っています。また、海の日の三連休化に伴い平成十五年（二〇〇三）以降は海の日を含む七月一日から三十一日までの一か月間を「海の月間」と定め、「海フェスタ」などが開催されています。

平成二十六年（二〇一四）には、「海の恩恵に感謝する日だったはずが、単なるお祭りになってしまった」として、超党派の国会議員（海事振興連盟）により七月二十日に固定化する議案が出され、平成二十八年から八月十一日の「山の日」が施行されることをきっかけに当初の七月二十日に戻そうとする流れがあったものの、実現には至っていません。

世界の国々の中で「海の日」を国民の祝日としている国は唯一日本だけのようで、国土全体が海に囲まれている日本らしい祝日といえそうです。海洋国家に生きる日本人として、海の恵みに感謝する日でありたいものです。

土用は夏だけではない!?

本来の土用とは、立春、立夏、立秋、立冬の前の十八日間をいいます。つまり一年に四回あるのですが、一般には夏の土用だけを指すようになりました。

夏の土用は、七月二十日頃から立秋の前日八月七日頃までで、この期間を「暑中」といって、暑中見舞いを出す時期でもあります。年によっては、土用の期間に丑の日が二回訪れることもあり、二回目の丑の日を「二の丑」といいます。この時期に、柿の葉など薬草を入れたお風呂に入ったり（丑湯〈うしゆ〉）、お灸をすえたり（土用灸）すると夏バテや病気回復などに効き目があるとされていました。また、土用うなぎ、土用餅、土用しじみ、土用卵など、昔から猛暑の時期には食べることで養生する、食養生のならわしがありました。

春の土用には戌の日に「い」、夏の土用には丑の日に「う」、秋の土用には辰の日に「た」、冬の土用には未の日に「ひ」の付く食べ物をとるとよいとされます。土用の丑の日にうなぎを食べるのは、「う」が付く食べ物であるとともに、江戸時代に平賀源内が、売り上げ不振の鰻屋に「本日土用の丑の日」と看板を出させて繁盛（はんじょう）したことからといわれます。

8月

葉月（はづき）

旧暦八月の異称。古くはハツキともいい、「秋八月《あきはつき》」と『日本書紀《にほんしょき》』神武紀《じんむき》の戊午年《つちのえうまのとし》に出てくるが、『古事記』『万葉集』には出てこない。ハヅキの由来には諸説あり、木の葉が紅葉して落ちる月、すなわち「葉落ち月」が訛《なま》ったものという説もその一つ。

8月

葉月《はづき》

1 2 3 4 5 6 7頃

立秋《りっしゅう》

暦の上では秋に入るが、実際には残暑が厳しい頃。しかし、風のそよぎや雲の色、形に秋の気配が感じられるようになる。この日以降は残暑見舞いとなる。

16 17 18 19 20 21 22 23頃

処暑《しょしょ》

暑さが止む、の意味から処暑という。涼風が吹きわたる初秋の頃で、昔からこの頃は二百十日と並び台風襲来の特異日とされている。

15	14	13	12	11	10	9	8
				山の日 p98			

31	30	29	28	27	26	25	24

8月 11日

山の日

山に親しむ機会を得て、
山の恩恵に感謝する。

「山の日」は、平成二十六年（二〇一四）に制定され、二十八年より施行された新しい国民の祝日です。それまでは、地方自治体単位で「山の日」が定められていましたが、日付も名称もまちまちで、国民に広く認知されていたとはいえませんでした。

「山の日」を制定するにあたり、「山の日制定議員連盟」は、六月上旬や海の日の翌日、お盆休みにからみやすい八月十二日などを祝日候補として挙げ、一度は八月十二日に決まりかけましたが、日本航空一二三便墜落《ついらく》事故と同じ日を祝日とすることに懸念《けねん》を抱いた議員より意見があり、一度見直しが行われたのち、八月十一日に決定されました。

なお、「山の日」は、平成八年に施行された「海の日」以来の新しい祝日であり、これによって日本における国民の祝日の数は、全部で十六日になりました。

国民の祝日として「山の日」の制定を求める日本山岳会をはじめ、全国「山の日」協議会加盟諸団体や、すでに「山の日」を制定していた地方自治体、その他、山岳関係者や自然保護団体等からの意見を受け、平成二十五年（二〇一三）四月、超党派の「山の日制定議員連盟」が設立され、参加者は百十名にのぼりました。

なお、八月十一日の意味合いについて、漢数字の「八」の文字が山の形に見えることや、「11」に木が立ち並ぶイメージがあることから、都道府県の山の日で多く用いられていることを指摘する報道もありましたが、ともに正式な由来ではありません。

日本は、山地と丘陵地《きゅうりょうち》を合わせると約七割という森林国家です。きれいな水や美味しい空気も山や森林あってのもの。私たちは知らず知らずのうちに山の恩恵を受けているといえるでしょう。

夏祭りにはどんな意味があるの？

疫病祓《えきびょうばら》いのための禊《みそ》ぎ祓《はら》いをするため
「祭り」によって私たちの気づかない
穢《けが》れを祓う。

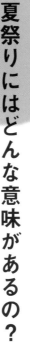

日本の祭りは、農耕儀礼として春の豊作祈願と秋の収穫を感謝するものが多いのですが、これと対照的に夏祭りは疫病祓《えきびょうばら》いのための禊《みそ》ぎ祓《はら》いが中心となります。そのために、夏祭りは水辺での祭りが多く、神輿《みこし》洗いや浜降《はまお》りなどの神事として各地に残っています。

祇園祭《ぎおんまつり》の始まりは、貞観《じょうがん》十一年（八六九）といわれます。当時、疫病が流行し、大勢の死者が出たことを祭神スサノオノミコトの祟《たた》りとして、鉾《ほこ》六十六本を神輿とともに京都の神泉苑《しんせんえん》の池辺に疫病送りとして退散を祈願したのが御霊会《ごりょうえ》の始まりとされます。鉾は邪気を祓うためのもので、六十六の数字は当時の日本が六十六か国あったことに由来します。

応仁の乱のために一時衰えたものの、しだいに町衆の山鉾寄進《やまほこきしん》などで復活し、盛大にするほど効果があるという考えから、派手《はで》な形に発展していきました。その根底には、祀《まつ》ることで怨霊《おんりょう》が守護神《しゅごしん》に転生《てんしょう》すると信じた古代の人々の考えが、祭りを支える人々の間で潜在的に伝承されていたからに違いありません。

これらの祭りの準備には、長い期間と厳格に遵守《じゅんしゅ》されてきた型があり、その型こそが神を喜ばせると考えたのです。それを神に受け取っていただくために、潔斎《けっさい》という浄《きよ》めの作《さ》法《ほう》が、一般参加の見物の目の届かぬところで実習されています。夏の祇園祭は、ただ人々の願いを祈るだけではなく、祭りの前日に祓《はら》い禊《みそ》ぎをして、私たちの気づかぬ穢《けが》れを取り去ることが根底にあることを示しています。ここに祭りの当日に見る単なる「お祭り騒ぎ」ではない、本来の「祭り」の意義があると考えられます。

日本三大祭り

神田祭
東京都神田明神
五月中旬

祇園祭
京都市八坂神社
七月一日から三十一日まで

天神祭
大阪市大阪天満宮
六月下旬から七月二十五日まで

夏の涼み方

打ち水

日本の伝統的な涼（すず）み方といえば「打ち水」。水が蒸発する際の気化熱で周囲の温度を下げることができます。朝方や夕方の気温が低めの時間に、日陰に打ち水をするのが効果的。マンションなどではベランダへの打ち水も効果的です。

すだれ

すだれを設置することで日陰をつくり、直射日光を遮ります。すだれは外に設置するので、室外でまず熱を遮断することで暑さを軽減できます。すだれの代わりに、ゴーヤやキュウリを育てながらグリーンカーテンを楽しむのも一石二鳥でいいですね。

熱さまし効果のある食材を食べる

スイカ、トマト、キュウリ、ナス、ゴーヤなど夏が旬（しゅん）の食材には体を冷やす効果があります。これらの食材を上手に取り入れることで、体の内側から暑さ対策ができます。

9月

長月（ながつき）

旧暦九月の異称。古くはナガヅキともいう。ナガツキは「夜《よ》長月《ながづき》」の略であるとの説が有力。つまり秋の夜長の頃という意味だが、ほかに、稲刈月《いねかりづき》がネガヅキとなりナガツキに転じたという説、稲熟《いねあがり》月《づき》が転じたという説、穂《ほ》長月《ながづき》が略されたという説もある。

9月

長月 ——ながつき

1 頃
2
3
4
5
6
7

二百十日《にひゃくとおか》

立春から数えて二百十日目のこと。八十八夜や入梅とともに三大厄日（農家などで天候による災厄が多いとする日）とされ、日本独特の雑節。

16
17
18
19 頃
20 頃
21
22 頃
23 頃

敬老の日

p108

彼岸《ひがん》

p46

彼岸は七日間あり、中日を秋分と呼び、昼と夜の長さがほぼ同じになる。お彼岸には祖先を敬い、しのぶために墓参りをする風習がある。

社日《しゃにち》

秋分に最も近い戊の日のこと。「社」とは生まれた土地の守護神である産土神を指し、秋社という。この日は産土神に参拝して田の神を祭り、収穫のお礼参りをする。

秋分の日

p112

8 頃

白露《はくろ》

「しらつゆ」の意味で、秋の気配が本格的に加わり、野草に宿る白露が秋の趣を感じさせるようになる頃。

9

重陽《ちょうよう》の節句《せっく》

p106

10 頃

二百二十日《にひゃくはつか》

立春から数えて二百二十日目のこと。二百十日と同じ意味をもつ。

11

12

13

14

15

24

25

26

27

28

29

30

重陽《ちょうよう》の節句に菊が使われるのはなぜ？

菊には、邪気を祓い、長寿の効果があると信じられていたため、菊酒や、きせ綿で長寿を願った。

九月九日の「重陽《ちょうよう》」は、中国の五行《ごぎょう》説で説かれる陽数（奇数）の重なる月日を尊ぶ重《じゅう》日《にち》思想により「九」が重なることからの命名です。「重陽」は、「菊の節会《せちえ》」という祭りです。節会は節句の日で、宮廷で行われた宴会をいいます。

『古今和歌集《こきんわかしゅう》』の秋の歌には菊の歌が多く、平安時代に菊の節会が盛んになりました。菊の花を入れてひたした菊酒《きくざけ》を飲んで長寿を願い、「きせ綿《わた》」といって、菊の花に綿をかぶせてその香を移し、それで体を拭くことで老いを拭《ぬぐ》い去って若返り、長寿を保つとして愛《め》でられてきました。さらに、左右に分かれて、それぞれに菊の名所の景物《けいぶつ》を出して歌を競う「菊合わせ」という行事もありました。

江戸時代になると、あらためて菊が人気を得て品種改良が行われ、中国やヨーロッパにも渡り、十七世紀の中頃には、ヨーロッパの花卉《かき》園芸を席巻《せっけん》するほどに、「日本菊」として有名になったといいます。

今でも、十月から十一月にかけて菊花大会などの品評会が各地で盛んで、人々は自慢の鉢を持ち寄って丹精《たんせい》の技を競います。菊人形は、江戸時代の大衆娯楽の見世物の中の一つとして、富士山や帆掛《ほか》け船、蒙古襲来《もうこしゅうらい》などの菊細工《ざいく》から、はては歌舞伎役者の衣装まで作り上げるほどの技術を磨いたのです。

菊の花を使った楽しみ方

菊酒

■ 材料

食用菊、日本酒を適量

日本酒に菊の花びらを浮かべる。冷やからぬる燗（かん）までお好みの温度でどうぞ。

菊の酢の物

■ 材料

食用菊１パック
（☆酢大さじ1、砂糖大さじ1、醤油大さじ３分の１）

菊の花びらをガクから外し、沸騰したお湯にお酢（小さじ1）を加え、さっと湯がいて冷水に取り、水気をきる。（☆）内の調味料を鍋に入れて弱火で煮溶かし、冷めたら菊と合わせて出来上がり。

9月の第3月曜日

敬老の日

多年にわたり社会につくしてきた老人を敬愛し、長寿を祝う。


「敬老の日」は、もとは兵庫県多可郡野間谷村（現・多可町八千代区）で提唱された「としよりの日」が始まりです。

昭和二十二年（一九四七）九月十五日、当時村長だった門脇政夫《かどわきまさお》氏が、「老人を大切にし、年寄りの知恵を借りて村作りをしよう」という趣旨で村主催の「敬老会」を開きます。九月十五日という日取りは、農閑期《のうかんき》で気候もよい九月中旬ということで決められました。

当時は戦後の混乱期で、子供を戦場へ送った親たちも多く、精神的に疲労の極《きわ》みにありました。村長は、そうした親らに報いるべく「養老《ようろう》の滝《たき》」の伝説にちなみ、九月十五日を「としよりの日」とし、五十五歳以上の人を対象にお年寄りをいたわる会を開催したのです。

これが全国各地に広がっていき、昭和四十一年（一九六六）に、九月十五日を「敬老の日」として国民の祝日に定められました。

平成十三年（二〇〇一）には、老人福祉法の一部改正により、九月十五日が「老人の日」に指定され、九月二十一日までの一週間が「老人週間」と定められました。

その後、平成十三年の祝日法改正により、「敬老の日」は、平成十五年からは九月の第三月曜日へ移動しました。

ＷＨＯの発表によると、日本は世界一平均寿命が長い長寿《ちょうじゅ》大国です（世界保健統計二〇二一年版）。豊かで安全な日本社会が築き上げられてきたのは、ご老人たちの努力のおかげでもあります。敬老の日は、身近なご老人に感謝するとともに見えない先人たちにも思いをはせたいものです。

カレンダーで気になる表記、六曜《ろくよう》とは？

結婚式は大安が良い、
葬式は友引を避けるなど、
今も生活に密着した
その日の吉凶をあらわすもの。

科学の進んだ現代でも、結婚式などの行事の際に人々の行動を左右することもある六曜《ろくよう》または六輝《ろっき》は、「日の吉凶《きっきょう》」を占います。中国から渡来して名称や順序も変わり、現在の形になったのは江戸末期ですが、六曜が記載されているのは日本の暦《こよみ》だけのようです。その内容をよく見ると、本来は時刻の吉凶だったものが、現在の感覚のような一日の吉凶になったことがわかります。

先勝《せんしょう》＝さきがちともいう。諸事急ぐことによし。午後よりわるし。

友引《ともびき》＝朝夕よし、正午わるし。

先負《せんぷ》＝さきまけともいう。諸事静かなることによし。午後大吉。
仏滅《ぶつめつ》＝万事凶。口舌をつつしむべし。患《わずら》えば長びく。
大安《たいあん》＝移転開店等万事利あらざることなし。大吉日。
赤口《しゃっこう》＝せきぐちともいう。諸事油断すべからず、用いるは凶。正午少しよし。

六曜は、先勝、友引、先負、仏滅、大安、赤口の順に並び方が決まっています。各月の旧暦の一日が、一・七月＝先勝、二・八月＝友引、三・九月＝先負、四・十月＝仏滅、五・十一月＝大安、六・十二月＝赤口。そして、二日以降は、各月ともそれぞれ六曜の順に従って機械的に繰り返され、月末で打ち切ります。

友引は、死んだ友が引っぱるとされ、葬儀は避けられます。仏滅は物滅で、すべてのものが滅ぶ、という語呂《ごろ》合わせが輪をかけて、迷信とされるゆえんでもあります。

大安の日に結婚したからすべての人が幸せになるわけでもなく、仏滅に挙式したからだれでも不幸になるわけでもないでしょう。それでもやはり、できるだけ佳《よ》い日を選ぶし、友引に弔《とむら》いは出しません。迷信だとわかっていても、合理性より関係者の思いを大切にし、周囲の人々との調和を中心に考え、人間関係を穏《おだ》やかに保っていこうという、いわば日本人ならではの心根《こころね》ではないでしょうか。

秋分日

秋分の日

祖先をうやまい、なくなった人々をしのぶ。

「秋分の日」は「春分の日」と対《つい》をなす祝日で、天文学的に割り出した「秋分日」が「秋分の日」となります。そのため、年によって「秋分の日」は異なり、九月二十二日から九月二十四日までのいずれかに決定され、祝日となります。

もとは「秋季皇霊祭《しゅうきこうれいさい》」と呼ばれていた皇室行事で、今でも天皇自ら、宮中三殿のひとつ皇霊殿において、歴代の天皇・皇后・皇親の霊を祀《まつ》る皇室の大祭であり、昭和二十二年（一九四七）まで、この名称の国の祭日でした。戦後は、「秋分の日」として国民の祝日になり、現在に至っています。

一般にこの日は「昼と夜の長さが同じ」といわれますが、春分と同様に昼のほうがやや長くなります。秋分の日の正確な日程は、国立天文台が作成する「暦象年表」に基づいて閣議で決定されます。そのため、計算上、秋分の日は西暦二〇四四年まで九月二十三日です（うるう年に限り九月二十二日）。

また、秋分の日が九月二十一日で月曜日の場合、敬老の日と秋分の日が同じ日になってしまいます。両日が九月二十一日で月曜日になる年は、計算上、二八七六年です。

秋分の日は「秋のお彼岸《ひがん》の中日《ちゅうにち》」としてお墓参りをする日として、また、「暑さ寒さも彼岸まで」といわれるように、季節の変わり目を感じる日として、日本の生活習慣に根づいています。

秋の気配《けはい》を感じる秋分の日に、おはぎを作って、家族と一緒にお墓参りに行ってはいかがでしょうか。この時、季節の花や故人の好物を供えると、ご先祖や故人も喜ばれるでしょう。

ぼた餅とおはぎ、どう違う？

春が牡丹餅《ぼたもち》、秋が萩の餅でおはぎ、と季節で呼び方が違うだけで、同じもの。お彼岸のお供え物として欠かせないものとされてきた。

お彼岸《ひがん》の代表的な食べ物で、霊前に供えたり家ごとに贈答する和菓子といえば、その形や色合いから、春が牡丹《ぼたん》の餅で「ぼたもち」、秋が萩《はぎ》の餅で「おはぎ」が一般的です。

これらは、作り方にもいろいろあり、地方によっても異なります。「ぼたもち」はサンスクリット語やパーリ語などからきたという説もありますが、いずれにしても「おはぎ」は後にできた語のようです。

正月の餅と違って、やわらかい餅をあらわす「カイモチ」が本来です。すりつぶして作るので音がせず、いつの間にか着（搗《つ》）いているということから「夜船《よふね》」や「隣《となり》知らず」、また、北の窓からは月が見えない、月（搗き）知らずという意味で「北窓」などの異名があります。また、米粒の形が残っているので「半ごろし」という物騒なものもあります。ナベスリモチともいい、餡《あん》をまぶすのでアエモチともいいます。

色彩的には、正月の餅の白とともに、赤い色が特徴で、神祭りの供物《くもつ》とされたものです。赤い色は、呪術的には魔除《まよ》けでもあります。

カンタン！
ぼた餅（おはぎ）の作り方

■ 材料
もち米／1カップ
うるち米／1カップ
あん（粒あん）／適量

1. もち米とうるち米を洗って炊飯器に入れ、水を通常よりやや控えめに入れ、1〜2時間浸水させてから炊く。
2. 10分ほど蒸らして、温かいうちに、先に軽く水を付けたすりこぎでつぶす。少し粒が残るくらいでOK。
3. 手水を付けて、俵型にまとめる。
4. あんを適量とって、ラップの上に広げ、③をのせ、あんでくるむ。
きな粉砂糖や黒ごま砂糖でくるんでもおいしくいただけます。

お月見のそもそものいわれは？

月の美しさを楽しむという
風流なものだけでなく、
収穫に感謝し、神に祈る心を
現代に残している。

現代の月見は、月を観賞することが主になっていますが、昔はススキ、ハギ、ワレモコウなどの草花を飾り、ダンゴ、カキ、クリなどの成りもの、それにサトイモを供える「月祭り」でした。

中秋《ちゅうしゅう》の名月《めいげつ》は、旧暦の八月十五日（現在の九月中旬～十月初旬）です。この日は、古くから、月が満ちてまん丸な姿を見せ、一晩中あでやかに輝く望《もち》の日として祭りが行われる大事な節目でした。この節目は、人々が労働を休み、神を迎えるための潔斎《けっさい》をして忌《い》み籠《ごも》る日で、神に供え物をし、神人共食《きょうしょく》して霊力《れいりょく》を身につける日と信じられてきました。

この八月の満月の日に供えられるダンゴが十二個。閏年《うるうどし》には十三個にするところから、月の数を表していることがわかります。

ダンゴは、特別に粉にして作った供え物で、一種の占いとともに豊作祈願の意味もありました。ダンゴの形も関東では丸いものですが、越後《えちご》や関西では先をとがらせてサトイモの形に似せており、かつてはサトイモを供えた名残といわれています。

八月の月見を「芋《いも》名月」、九月は「後《のち》の月見」といい、豆を供えるところから「豆名月」、栗を供えて「栗名月」の異名もあります。元来は芋の収穫儀礼であったことから、月見が単なる風流の行事ではなく、収穫への感謝を込めたものだったことがわかります。

ダンゴやイモと同じように供えるのが、ススキをはじめとした秋の七草《ななくさ》です。

秋の七草は、一般にハギ、ススキ、クズ、ナデシコ、オミナエシ、フジバカマ、キキョウとされ、観賞中心です。古くからススキは魔祓《まはら》いの力があると考えられ、茎が中空のため、神様の宿り場になると信じられてきました。また、葉のフチの鋭利さに、魔祓いの効き目があると考えられました。そのため、お月見のススキには悪霊や災《わざわ》いなどから収穫物を守り、豊作を願う意味が込められているのです。

月の呼称がたくさんあるのはなぜ？

月の満ち欠けで、呼び名はさまざま。
待宵、立待月、居待月、寝待月、
月を待ち、愛でる思いが
名前にあらわれている。

日々、満《み》ち欠《か》けを繰り返す月。日本人は昔から、月の満ち欠けの周期から暦《こよみ》を作り生活に役立てるとともに、鑑賞の対象にしてきました。目に見えない新月《しんげつ》から、三日月《みかづき》、八日《ようか》月《づき》、十三夜《じゅうさんや》、待宵《まつよい》、満月になり、十六夜《いざよい》、立待月《たちまちづき》、居待月《いまちづき》、寝待月《ねまちづき》、二十三夜月《にじゅうさんやづき》、つごもり、と欠けていきます。満月を境に月の出が遅くなるので、外に立って待つ月、座って待つ月、寝て待つ月と、月を待ち望むむかしの人々の思いが名前にあらわれています。

さて、今宵《こよい》の月はどんな形をしているでしょうか。空を見上げて月を愛《め》でてみませんか？

月の満ち欠けと呼称

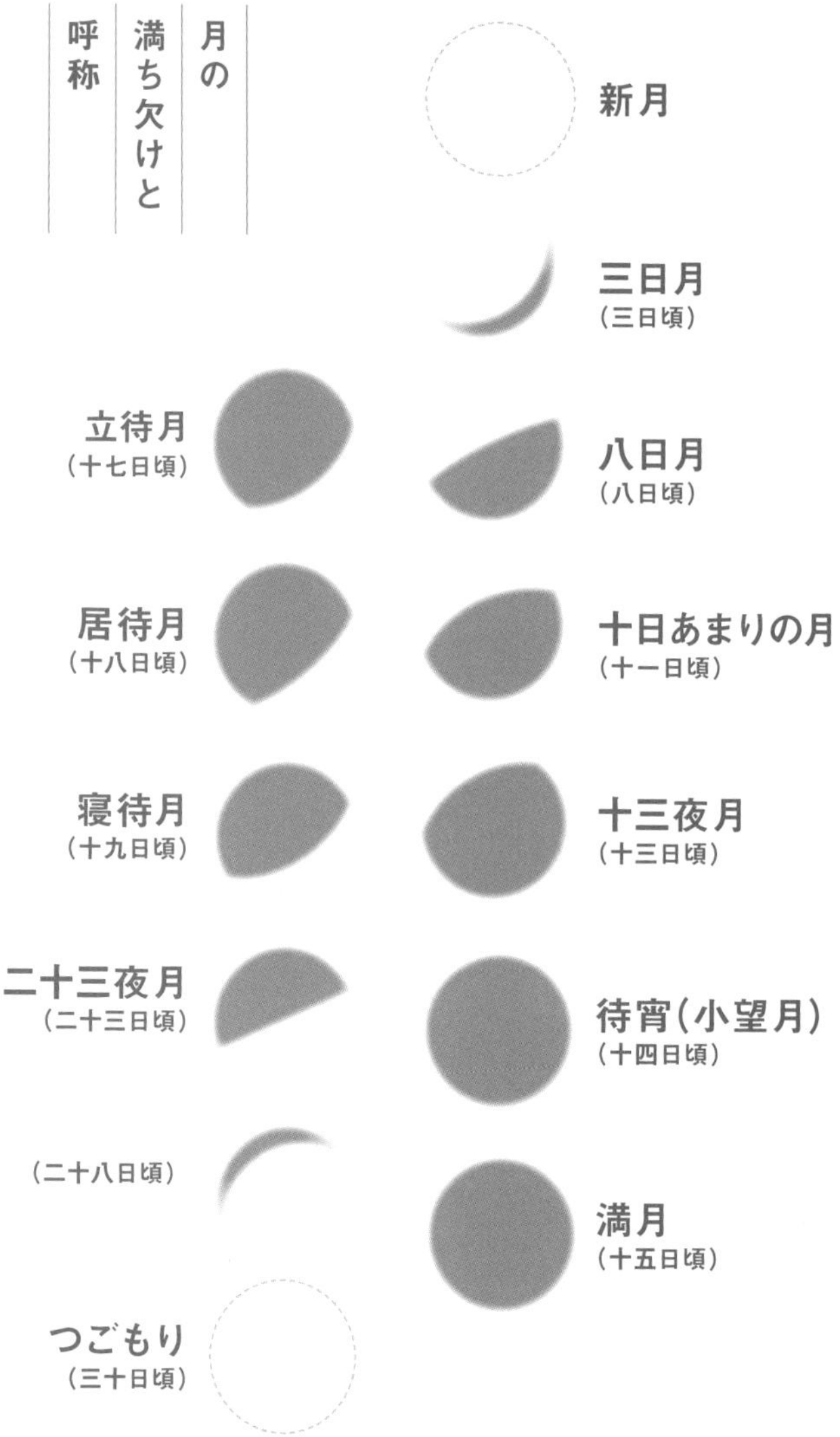
新月
三日月
（三日頃）
八日月
（八日頃）
十日あまりの月
（十一日頃）
十三夜月
（十三日頃）
待宵（小望月）
（十四日頃）
満月
（十五日頃）
立待月
（十七日頃）
居待月
（十八日頃）
寝待月
（十九日頃）
二十三夜月
（二十三日頃）
（二十八日頃）
つごもり
（三十日頃）

月見のしつらえ

■ススキやナデシコ、オミナエシなどを飾る。

■だんごは十二個飾る場合は下段六個、中段四個、上段二個積み重ねる。

■お供えとして、サツマイモやクリ、サトイモなど大きめの皿に盛る。

お月見をしながら、恵みに感謝しましょう。

10月

神無月（かみなづき）

旧暦十月の異称。かみなしづき、かんなづきともいう。語源は、古くから神無月（かみなしづき）説が有力。神無月の無は「の」の意味で「神の月」すなわち「神祭りの月」とする説があり、一般的には「神嘗月《かんなめづき》」の意味であると考えられる。

10月

神無月《かみなづき》

7 6 5 4 3 2 1

23頃 22 21 20 19 18 17 16

霜降《そうこう》

秋も末で霜が降りる頃という意味から霜降といい、「しもふり」ともいう。ところによっては、カエデやツタの葉が紅葉し始める。

15 14 13 12 11 10 頃 9 8 頃

寒露《かんろ》

晩秋から初冬にかけて野草に宿る冷たい露を指し、秋の深まりを感じる頃。五穀の収穫の時期にあたり、農家では再び多忙になる。

スポーツの日

p126

31 30 29 28 27 26 25 24

「神あり月」と呼ぶ地方はどこ？

神々が集まる出雲では
神在月《かみありづき》といい、
八百万《やおよろず》の神々が集い、収穫や縁結びなどを
決める神々の会議、神議《はか》りを行う。

十月には、家々や村の神々が出雲大社《いづもおおやしろ》に参集され留守になるところから、全国的に十月の異称を神無月《かみなづき》といい、出雲一帯では神在月《かみありづき》と称しています。

この異称は「雷《かみなり》のない月」とも、酒をかもす醸成月《かみなしづき》からともいわれ、神の月の「かみなつき」に「神無月」と当てたところから、字面の解釈で神様の無い月になったようです。

古くは伊勢神宮に集まると考えられていたことは『徒然草《つれづれぐさ》』にも「この月（十月）、万《よろず》の神たち太神宮へ集まり給ふなどと云（ふ）説あれども……」とあることからもわかります。

神々が出雲に往来するために、村々には神送り、神迎えの習俗があり、さらに、神々がいなくなったために村や家々では留守神の祭りがあります。留守神は、荒神《こうじん》、恵比須《えびす》、大黒《だいこく》、道祖神《どうそしん》、金毘羅《こんぴら》とさまざまですが、それぞれの神には農神《のうじん》（農事をつかさどる神）の性格が共通にあります。神無月と留守神の観念の根底には、農神は山と田を行ったり来たりするものの土地に根づいた神であるという日本古来の神観念が影響しています。

十月を神の月とするのは、それまで数々の守護をしてくれた神々へ、秋の収穫の時期に感謝の気持ちを表すためだったと考えられます。それが収穫祭となったのでしょう。または、十一月の秋祭りの前に、長い籠《こも》りの生活が必要だったことから、神無月の表記になったともいわれています。

出雲大社では、集まった八百万《やおよろず》の神々を迎える「神迎祭《かみむかえさい》」が行われます。境内にある東西の十九社にとどまった神々が「神在祭」で何をされるのかというと、人にはあらかじめ知ることのできない人生諸般の事（来年の収穫や縁結びなど）を神議《はか》りにかけて決められるといわれています。

それが終わると、人々は「神等去出祭《からさでさい》」を行い、それぞれの国へ帰られる神々を見送ります。

10月の第2月曜日

スポーツの日

スポーツを楽しみ、
他者を尊重する精神を培うとともに、
健康で活力ある社会の実現を願う

もとは昭和三十六年（一九六一）に、十月の第一土曜日が「スポーツの日」と制定されていましたが、祝日ではありませんでした。

昭和三十九年（一九六四）に、東京オリンピックの開会式が行われた十月十日を「体育の日」と定め、昭和四十一年から国民の祝日となりました。これに伴い、スポーツの日は、体育の日に改められました。平成十二年（二〇〇〇）から「ハッピーマンデー制度」が適用され、体育の日は十月の第二月曜日となりました。

その後、「スポーツ」は「体育」より広い意味をもち、自発的に楽しむ意味をもつとして、「体育の日」を「スポーツの日」に変更する検討が始められ、国民の祝日に関する法律が改正、令和二年（二〇二〇）施行されたことに伴って、「スポーツの日」となりました。

なお、東京オリンピック・パラリンピックの開催に伴い、令和二年に限り、スポーツの日は当初の予定日だった東京オリンピックの開会式の七月二十四日に変更されましたが、その後、新型コロナウイルス感染拡大のため翌年に延期され、これによる令和二年の祝日の再変更はされず、そのまま実施されました。

令和三年は、この年に限り東京オリンピック競技大会・東京パラリンピック競技大会特別措置《そち》法により、一年延期された東京オリンピックの開会式の予定日の七月二十三日に変更されました。

五十七年ぶりに日本で開催した東京オリンピック・パラリンピックは、新型コロナウイルスの影響でオリンピック史上初めての無観客での試合となりましたが、日本の選手団は大いに健闘し、メダルラッシュとともに、数々の感動プレーを残してくれました。

日本人の祭りの本質

秋祭りが多い十月。日本人の祭りの本質は、神を迎えて、供物をささげ、歓待（かんたい）・饗応（きょうおう）し、祈願をして慰めることにありました。

祭りはまず「物忌（ものい）み」に始まります。敬うべき神に来臨を仰（あお）ぐため、心身を清浄にする必要があり、基本的には水や海水による禊（みそぎ）を行い、身についた穢（けが）れを祓います。これは、宵宮（よいみや）といわれる祭日の前夜に行われたので前夜祭のように思われています。事実、神と人との交流は夜でなければならないと思われており、さらに古くは、一日の始まりは日没からと考えていたことが、理由かもしれません。このため、神を祀り祈る中心は、この宵宮にありました。私たちが祭日と思っているのは、祀り祈った後の直会の日を指していることになります。

祭りは年中行事として、季節感を呼び起こし、季節の節目をつくり、セツやオリメと呼んでいました。その変化は、稲作農耕が基盤になっていますが、自然の変化によって死と再生を感じ取り、私たち人間の生活も同じリズムで生きるという思想、文化を築いてきたと考えられます。この点から、神、自然のはたらきを敬い、信頼して、それに従順であった日本人の国民性を見るようになったのです。

11月

霜月（しもつき）

旧暦十一月の異称。由来については字義どおり本格的に寒くなり、霜が降りる月「霜降月《しもふりづき》」から転じたとする説が有力。ほかに、食物月《おしものつき》の略とする説、神無月を「上《かみ》な月」、霜月を「下《しも》な月」とする説などもある。

11月

霜月

しもつき

1 2 3 4 5 6 7頃

3 文化の日 p132

7 立冬《りっとう》

陽光もいちだんと弱く、日中の時間も短くなる。初冠雪の便りが聞こえ、冬の季節風が吹き、時雨（しぐれ）の季節。

16 17 18 19 20 21 22頃 23

22 小雪《しょうせつ》

雪まだ大ならずという意味。平地にはまだ降雪はないが、高い山頂には白銀が見られ、冬の到来が感じられる頃。

23 勤労感謝の日 p138

15 14 13 12 11 10 9 8

七五三

p134

30 29 28 27 26 25 24

11月3日

文化の日

自由と平和を愛し、文化をすすめる。

この日はもとは、明治天皇の誕生日であり、明治六年から四十四年まで「天長節《てんちょうせつ》」、昭和二年から二十二年までは「明治節」として休日に定められていました。

その後、この日に日本国憲法が公布され（昭和二十一年）、それを記念するものとして、「文化の日」が定められました。ちなみに、日本国憲法が施行された日の五月三日は、「憲法記念日」として国民の祝日となっています。

文化の日は、上記の経緯と関係なく定められたということになっていますが、当時の国会答弁や憲法制定スケジュールの変遷《へんせん》をみると、明治節にあえて憲法公布の日としたとも考えられます。

一方、祝日法制定当時、参議院文化委員長として、中心的役割を担った山本勇造ら参議院側は、十一月三日を憲法記念日とすることを主張しましたが、ＧＨＱ側が十一月三日だけは絶対にだめだと譲りません。その後、突然ＧＨＱ側から憲法記念日という名でない記念日とするなら何という名がいいか、という話を持ち出してきたといいます。

祝日法に「文化をすすめる」とあるように、文化の日には皇居において文化勲章の授与式が行われるほか、この日を中心に文化庁主催による芸術祭が開かれます。文化祭、お茶会など、民間でも多くの文化的行事が開催されています。

また、文化の日を、本来の由来に合わせ、明治の日に改称しようという動きもあります。民間団体が主体となり署名運動などを行っているほか、超党派の議員連盟設立も計画されています。

七五三のお祝いに込められているものとは？

子供のすこやかな成長を
社会全体で祈り、無事にはぐくむ
通過儀礼の一つでもある。

七五三の祝いが、七歳は女児、五歳は男児、三歳は男女児とも、十一月十五日に産土神《うぶすながみ》や氏神《うじがみ》などの神社に詣《もう》で、千歳飴《ちとせあめ》を買って帰るという形になってきたのは、明治時代の東京からで、今では全国的な行事となっています。

子供のすこやかな成長は、人々の切実な願いであり、それを生育過程ごとの儀礼として、さまざまな形で行っていたものでした。

土地によって年齢も期日も異なり、名称もオシメイリ、オビハジメ、ハカマアゲ、カミオキイワイなどといわれます。ヒモナオシ、ヒモトキなどは、それまでヒモのついた着物だったものから、ヒモなしでオビを結ぶようになることから来た名称です。このほか、一つ身祝い、三つ身祝い、四つ身祝い、さらには大人の着物を着始める十三参りなどもあります。各地での名称はそれぞれですが、装《よそお》いによって子供の成長の祝いを象徴化しているのは日本の特徴です。

むかしは子供の成長は危うかったために、出産前からの帯《おび》祝いに始まり、誕生してからはお七夜《しちや》参り、三十日や百日目に宮参りをする風習がありました。七五三もその延長上にあり、子供の成長を節目ごとに祝うことによって、無事に過ごしてきたことを感謝し、めでたいものにしようとする気持ちのあらわれです。

産土神に詣《もう》でるのは、子供たちが村落共同体の一員として承認を得るためです。

七五三が十一月十五日になったのは、この日が鬼が出歩かない「鬼宿《きしゅく》」であり、何をするにも吉日《きちじつ》とされたところから、徳川五代将軍綱吉《つなよし》がその子徳松《とくまつ》の祝いをこの日にしたからとする説があります。一方で、十一月は霜月祭りの月、十五日は望《もち》の日として神祭りの大切な日でもあり、ここに子供の成長を祝う節目を合わせたと考えられます。

外見の華やかさに目を奪われやすい七五三の行事ですが、社会全体で子供の成長を祈り、無事にはぐくむという長い伝統の心を大切にしてまいりましょう。

子供の祝いが七歳で終わりになった理由とは？

七歳までは神のうちと考えられ、それ以後は、地域社会の一員として大人にする教育が始まったから。

七五三に代表される小児の祝いは、七歳を最後とすることが各地で共通していました。この七歳という時期は、人生の重要な境目として祭礼の稚児《ちご》役としたり、流鏑馬《やぶさめ》の射手《いて》に選ぶ風習も残っており、七歳の童子が神霊《しんれい》の依代《よりしろ》として神聖な存在と考えられていたことを示しています。

特に「七つ子参り」といって、七歳の子が親に連れられて氏神《うじがみ》参りをした地域は多くありました。

家に戻ると近所の家を七軒まわり、雑炊《ぞうすい》をご馳走《ちそう》になる地方もあります。これは各家から合力《ごうりき》を受けて社会に第一歩をふみ出す力となると考えられ、まさに社会が地域の子を育てていることが感じられます。この「七つ子参り」を下敷きにして七五三が普及したといえるでしょう。

小児は大人よりも早く生まれかわると信じられていたので、夭折《ようせつ》した子の弔《とむら》いは成人とは異なっていました。「七つ前は神の子」「七つまでは神のうち」など、七歳までの小児には霊力があると考えられていました。

七歳以後の小児については、社会や周りの大人が地域社会の住人として、子供を大人にする教育が始まっていたと考えられます。こうして、第二の誕生ともいわれ、また人の子としての大きな節目と考えられてきました。こうした考えは、現在の学校教育が七歳（満六歳）から始まることにもつながっているようです。

11月23日

勤労感謝の日

勤労をたっとび、生産を祝い、国民たがいに感謝しあう。

勤労感謝の日のもとは、飛鳥時代の皇極《こうぎょく》天皇の時代に始められた宮中祭祀の一つである「新嘗祭《にいなめさい》」であり、五穀《ごこく》の収穫とその恵みに感謝する日でした。

「にいなめ」のことは、『万葉集』に「にふなみ（新嘗）」の語で物忌《ものい》みをしたことが歌われていることからも、相当に古い慣習であったことがわかります。

太陽暦《たいようれき》（新暦）が採用される明治六年（一八七三）以前は、旧暦十一月の二回目の卯の日に執り行われ、日付は固定されていませんでした。

明治六年の新暦十一月の二回目の卯の日が十一月二十三日だったことから、翌年より昭和二十二年までの間、その日が休日に定められました。

戦後は、皇室行事から切り離され「勤労感謝の日」という名称になりました。

ここでは収穫に感謝するだけではなく、収穫に通じる勤勉な労働に対しても感謝するという意味合いが強くなっているといえるでしょう。

私たちがこうして生活できるのも、多くの人々の働きがあってのものです。

この機会に、ひとつの「おにぎり」が出来るまでどんな人たちの手がかかっているのか、季節によってどんな天候が大事なのか、塩や海苔《のり》はどのように作られているのか、中身の具によってはその産地が思いもよらない場所だったり、輸送は？　販売は？　とさまざま思いを巡らせてみることも、食育につながることでしょう。

自然の恵みや、家族や社会を支えてくれている人に感謝し、「いつもありがとう」と伝える機会にしてみてはいかがでしょうか。

新嘗祭《にいなめさい》はどんなお祭り？

五穀豊穣《ごこくほうじょう》の収穫祭と、天皇が新穀《しんこく》を神に供えて自らも召し上がる宮中祭祀。

もとは宮中祭祀《きゅうちゅうさいし》の一つである「新嘗祭《にいなめさい》」から来ており、収穫祭前夜の物忌《ものい》みが、現在の勤労感謝の日のもとになっています。

宮中の神嘉殿《しんかでん》に神座・御座《ぎょざ》を設けて、日が暮れた頃と明け方頃の二度、天皇が天照大御神《あまてらすおおみかみ》と天神地祇《てんしんちぎ》に新穀を供《そな》えて自らも召し上がる神人共食の儀礼です。これは村の鎮守《ちんじゅ》の秋祭りと同じく、収穫祭の性格があります。

そもそも日本では、神はそこに常在するのではなく、神祭りの庭に来臨し、祭りを受けてのち天に帰ると考えられていました。祭る人々は、長い忌《い》み籠《ごも》りの生活が必要で、音を立てず、日常と異なる火で調理したものを食し、禊《みそ》ぎをしました。

そして祭りでは神と同じものを共食することで霊威《れいい》を受け、活力を再生しました。この共食は、現在でも祭りの直会《なおらい》や宴会などの形として受け継がれています。

収穫を感謝する秋祭りは、世界のさまざまな民族に残されています。日本では土地ごとに収穫祭が行われていたところに中国の思想や行事が習合して、新たな日本独自の祭りや行事に分化して今日に至っていると考えられます。

雨、風、日照り、害虫、雑草と、収穫に至るまでにはさまざまな苦労があります。それらを乗り越えてこそ、収穫の喜びや自然＝神への感謝が強く湧《わ》いていったことでしょう。

かつては新嘗祭まで新米を食べてはいけないと言われていました。現在では早く新米が出回るため、十一月まで待つ人はほとんどいらっしゃらないでしょう。

しかし、天皇陛下はこの伝統を守られ、新嘗祭までは新米を口にされないそうです。

収穫の恵みを神に感謝するお祭りですが、その代表格ともいえる米作りにかかわる多くの人たちの働きがあってこその豊作だと、その労働にも感謝して新米をいただきたいものです。

残り物に福あり

北九州地方などでは、田の神は春に田に出かけて行って稲を育て、秋に田から戻って来ると考えられていました。

収穫時にわざと稲を刈り残し、収穫祭当日に刈り取ります。その稲株には、田の神（穀霊）が宿っていて、それを家に運ぶことで田の神を迎えると信じていました。稲に宿る神が、種籾俵（たねもみたわら）で翌年の春まで過ごし、次の年の苗に継承され、田と家を循環しながら永続していくと考えられたのでしょう。

これが「残り（余り）物に福あり」「あまり茶に福あり」という諺（ことわざ）に連なります。また、「竜宮童子（りゅうぐうどうじ）」などの昔話における爺さまが、大晦日に売れ残りの薪を海や川の淵で竜神に捧げて、望外の宝物を授かる動機になっているというあらすじにも影響しています。

むかしは、ご飯のお代わりには椀の底に一口残して差し出すようにしつけられたのも、同じような思いを伝承したものであったのでしょう。

12月

師走（しわす）

旧暦十二月の異称。シワスを師走と書く由来については、十二月は一年の終わりで皆忙しく、師匠の僧侶もお経をあげるために東西を馳《は》せるという意味で「師馳す」から来たという説が一般的。「年《とし》果《は》つ」が変化した説、「為《し》果《は》つ」から来たという説などもある。

12月

師走
しわす

1 2 3 4 5 6 7 頃

大雪《たいせつ》

立冬から約三十日後。山の峰も雪におおわれるため大雪という。北風が吹きすさび、冬将軍の到来を感じる頃。日本海側ではブリやハタハタの漁が盛んになり、熊が冬眠に入る。

16 17 18 19 20 21 22 頃 23

冬至《とうじ》

p146

太陽の高さが一年中で最も低くなり、昼が最も短く夜が最も長くなる。むかしから冬至の日を祝い、アズキ粥やカボチャを食べ、冷酒を飲み、ゆず湯に入る風習がある。

8 9 10 11 12 13 14 15

24 25 26 27 28 29 30 31

大《おお》祓《はらえ》

p74

十二月の晦日（みそか）に行われる年越しの祓え。人々の犯した罪や穢れを除き去るために行われる神事。大宝律令には正式に宮中の行事となり、朱雀門の広場で大祓詞（おおはらえことば）を読み上げて万民の罪・穢れを祓っていた。

冬至《とうじ》にユズ湯に入り、カボチャを食べるのはなぜ？

ユズ湯は禊《みそ》ぎ、カボチャは中風予防、どちらも黄色で魔除けや邪気を祓うため。

冬至《とうじ》は、一年で昼が最も短く夜が長い、太陽の活動が極めて弱くなる日ですが、一方では太陽の力が再び増し始める日ともいえます。これを年の改まりと見ることが冬至正月です。

冬至に太陽が生まれ変わるという太陽復活の考えは、非常に古くからあり、中国では周の時代（紀元前一一〇〇年頃）に、冬至を年の初めとする冬至正月の暦が作られていたといいます。

また、日本では、縄文人《じょうもんじん》の世界観の中に、冬至や夏至《げし》、彼岸《ひがん》などの日がはっきりと組み込まれていたことがわかっています。

これらは、人類は古くから自然との関係性やつながりの重要さを理解していたことを示しています。

冬至にはアズキ粥《がゆ》・カボチャ・コンニャクなどを食べ、ユズ湯に入る習俗があります。アズキ粥を食べるのは、赤いアズキを疫鬼《えきき》が恐れるからといい、カボチャを食べると中風《ちゅうぶう》予防になり、その黄色は魔除《まよ》けになるといわれました。

コンニャクは体の砂を下ろすといわれました。コンニャクは平安時代以前に渡来《とらい》しましたが、古くは「コニヤク」といったようです。群馬県の下仁田《しもにた》はコンニャクの名産地ですが、ここでは婚礼や葬儀などの正式の膳《ぜん》が出る時のハレの食物でした。

沖縄では、冬至雑炊《ぞうすい》といって、冬至の日に雑炊を祖霊《それい》に供え、家族で食べます。

ユズ湯は禊《みそ》ぎであると同時に、黄色が邪気を祓《はら》うといわれます。日本で大切な茶器や道具をウコン色（黄色）の布で包むこともこの伝統です。

それぞれの習俗は、いずれも厄除《やくよ》けであり、健康を願うことにつながるものであり、さらには神への感謝と願いを込めた供物《くもつ》とも考えられていました。

年越しそばを食べるのはなぜ？

特別な食べ物を
神様と一緒に食べる名残から。

年越しという言葉は、大晦日《おおみそか》から元日にかけてばかりでなく、一月六日（七日正月前夜）、十四日（小正月前夜）、節分（立春前夜）などを年越しと呼ぶ地方があり、一年の境の夜やその行事を指しました。

むかしの人は、一年の境目、年の夜などの極限の時間には、奇瑞《きずい》（めでたいことの前兆としての不思議な現象）が起こりやすい時間帯であるという感覚をもっていたようです。

「年越しそば」の由来も、一般に、細く長く、来年も幸せをそばから掻《か》き入れるなどと語呂合わせ的にいわれたり、飛び散っていた金銀の粉を細工師《さいくし》がソバ団子《だんご》で畳や床をたたいて集めたことから金運が上がるように始まったという説、さらにソバは五穀の中に入っていなかった特別のものだったといわれる説まで、さまざまあります。

しかし、土地によってソバガキという練ったものもあるので、やはり特別な食物を神人共食した名残《なごり》のひとつと考えられます。

「年越しそばはよそで食べるな」とか「年越しを共にしないものはあてにならぬ」というのは、新年を迎え、新しい生命力を身につける時に、一族一家が共に居なければならないと信じていたことによります。

年越しそばには、一年の苦労や不運を断ち切るという意味があるため、食べる場合には年をまたいではいけないとされています。

各地方の年越しそば

にしんそば
北海道・京都

わんこそば
岩手

おろしそば
福井

大晦日《おおみそか》に除夜の鐘をつく意味とは？

鐘の音によって
神仏の力が現れるととらえて
鳴らしている。

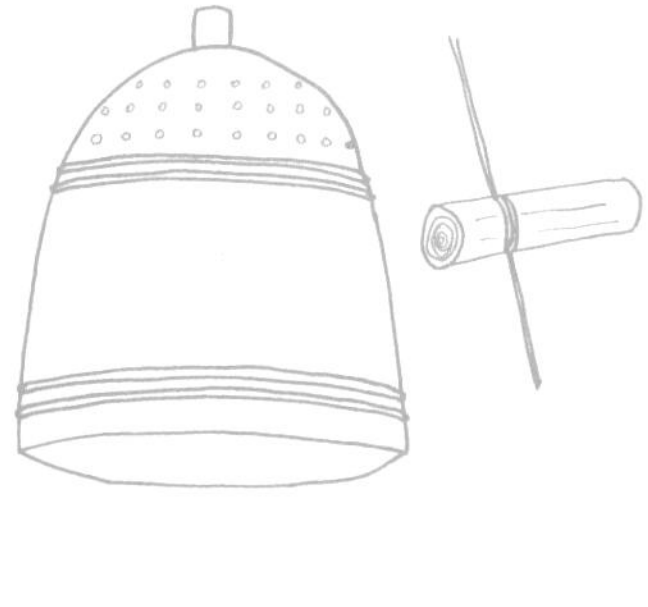

大晦日《おおみそか》には除夜の鐘が百八つ鳴らされます。

もともと鐘の音は太鼓の音とともに時刻を知らせるものでした。これは寺院の鐘に限らずキリスト教会の鐘も同じです。

この鐘の音は、日常的な時刻の知らせよりも、特別な非日常的な時間につくという意味合いが強かったようです。沈鐘《ちんしょう》伝説といって、水底に沈んだ鐘が大地震や大洪水によって鳴り出すと伝えられています。水底の鐘は海神《かいじん》や竜神《りゅうじん》など水神《すいじん》の力に支配されており、供養《くよう》のために海に沈んだ鐘を引き上げようとしても、土壇場《どたんば》で水没してしまう、と伝えられています。鐘の音は、現世とは別の異界に属するもので、それが現世に響き渡るのは、神霊の力が現れてくることを示しています。

このような鐘が大晦日の除夜に鳴らされて、百八つの煩悩《ぼんのう》を除くといわれるわけです。日本には、振る、振るわせるという動作には、魂《たましい》を増殖させる力が秘められているという、「たまふゆ」（魂殖《たまふ》ゆ、霊振《たまふ》り）の信仰がありました。鐘の音の響きにも、このような感覚を見いだしたのでしょう。

いずれにしても、大晦日は、ものごとを更新する特別な時であると考えていた先祖からの感覚が、いろいろな行事として伝承されてきています。

除夜の鐘でつく百八回は人間の煩悩の数だといわれますが、なぜ百八回かというと、六根という感覚（目・耳・鼻・舌・身・意）で、色・声・香・味・触・法を理解する。その時、三不同（好・平・悪）の受け取り方をする。その程度が、二種（染・浄）であり、三世（過去・現世・未来）にわたって、人を煩《わずら》わせ悩ますということから来ていて、この六、三、二、三の数字を掛けると百八つとなるわけです。

このほか、一年の十二か月、二十四節気《せっき》、七十二候を合計すると百八となり、それぞれの時期に人を迷わせて煩悩となるという説もあります。

「大晦日」のいわれと意味とは？

太陰暦では三十日は月が隠れている新月の日
月ごもりから「つごもり」となり、
晦日(かいじつ)(つごもり)がミソカ(三十日)になった。
一年の締めくくりは特別に大晦日と呼ばれる。

日本人が、暮れとお盆に里帰りをし、帰省ラッシュを起こすのは、すでに現代の年中行事といえます。

ミソカ（三十日）といわれる月末は毎月ありますが、年の暮れはオオミソカとして帰省ラッシュを起こすほど特別の日です。ふるさとに帰って家族とともに、年神様を迎える意識が、人々を突き動かし、帰省ラッシュを生じさせているのでしょう。

年越しや年取りは、生命をつないでくれた家の伝統へつながり、帰属するものという感覚があったことを示しています。

人生や世の中は、一年をひとくくりとして繰り返すという感覚があります。この一年は一日一日の積み重ねであり、それは太陽と月との運行による昼と夜の繰り返しです。太陰暦でいえば月が隠れている月ごもりが音変化して「つごもり」となり、多く月末は三十日であったので晦日（つごもり）がミソカになりました。

日本の祭りでは、祭礼前夜の宵宮《よいみや》に「おこもり」をして、降臨《こうりん》した神を祀《まつ》ることが中心です。神を迎えて祀ることで年越しをし、年を取るという一年の最大の行事には、忌《い》み籠《こも》ることが大切でした。そもそも、除夜とは夜のないことで、寝ないで夜明かしをすることでもありました。そのために早く寝ると白髪になり、シワがよるという禁忌《きんき》が伝えられたのです。

今年の大晦日は、年神様を迎える気持ちで、白髪やシワにならないためにも、寝ないで夜明かししてみてはいかがでしょうか。

二十四節気

月の満ち欠けをもとにして月日を定めた太陰暦に、太陽暦の要素二十四節気《せっき》を注記することで、太陰太陽暦として気候の推移を太陽の推移で示しました。

二十四節気は中国黄河《こうが》の中・下流域の季節にもとづいており、日本とは多少のずれがありますが、およそ半月ごとの季節の変化を示す便利なものとして、日本の風土に根づいていきました。

四月は学校行事や行政などの新年度という変わり目ですが、四季の変わり目は節気といいます。立春《りっしゅん》、立夏《りっか》、立秋《りっしゅう》、立冬《りっとう》など、暦面に気候の変化を示す二十四の基準を二十四節気といって、それぞれに名称があります。※本書の各月カレンダー参照。

春 立春から立夏まで

夏 立夏から立秋まで

秋 立秋から立冬まで

冬 立冬から立春まで

というのは天文学上の暦の四季です。ただし日付は前後します。しかし、現実の季節は、

春 三～五月　夏 六～八月

秋 九～十一月　冬 十二～二月

と感じるのが一般ではないでしょうか。暦の上とは、およそ一か月のズレがあります。

新暦と旧暦

その上、いわゆる新暦と旧暦のズレがあって、いろいろな行事などが旧暦に沿っているものが多いので「暦の上では春だが……」などということになるのです。

太陽の日の出と日没によって一日を知り、月（太陰）の満ち欠けにより一か月の周期を知りました。これが一年三百六十五日と一日二十四時間の出発点であり、一か月平均

三十日という暦の基本で、これは世界共通のものです。地球の自転で一日の変化が生じ、地球の公転で一年という季節が巡《めぐ》ってくるわけです。

この一年という単位の繰り返しによって、「年改まる」とか、「年立ち返る」などという感覚が生じてきます。原因は地球が太陽の周囲を回るという人の手の及ばないことなのです。それを年月日という数字で表したのが暦です。

日本でも、当然のことに、開花や鳥の訪れ、または残雪の形などから、年間の季節の推移に気づき、それが一年という単位で繰り返されるという、いわゆる「自然暦《れき》」の存在に気づいていました。それが稲作過程と照応されていったのです。そのことは、トシ(年)が「トシの実」などといって米を指す民俗語彙であることからも察せられます。そのうちに中国、韓国から暦が伝来し、それを頒布《はんぷ》するようになったのは、推古天皇十二年(六〇四)正月であったようです。伝来については諸説あります。こうして日本の暦は長い間、中国からの借りものでした。

それを江戸末期に渋川春海《しぶかわはるみ》が、天体の観測を中心にして日本の季節に合うように大和《やまと》暦《れき》を編纂し、それが「貞享暦《じょうきょうれき》」と称され、実施されるようになったのです。その後何度かの改良を重ね、西洋天文学を参考にした天保暦《てんぽうれき》に至ると、世界で最も精緻《せいち》といわれるほどになりました。これは、月の満ち欠けによる太陰暦だけでは農事生産にそぐわないので、太陽の動きを加味して調整したもので、正確には太陰太陽暦です。これが明治の改暦まで使用された、一般にいう「旧暦」です。

やがて世界との通商や外交上から太陽暦を採用する必要に迫られて、明治政府は、明治五年十二月三日を明治六年一月一日とする改暦を施行します。これが現在使用されている「新暦」です。日本の祭りや行事の日付で「旧暦の何日」としたり、旧盆・旧正月があるのは、このためです。

暦は生活の指針であり、季節を知らせて、日本人の生き方を示すものでもありました。人間は、この地球上に出現した時から、その周りを囲む自然によって生活を左右されてきたのです。そのために、古代から自然・季節の移り変わりには敏感に反応して、それに対応した生活を編み出してきました。そうでなければ古代の人々は、その生命を受け継ぐことはできず、ましてや、今日に伝えてこられなかったはずです。

海の日	7月の 第3月曜日	海の恩恵に感謝するとともに、海洋国日本の繁栄を願う。
山の日	8月11日	山に親しむ機会を得て、山の恩恵に感謝する。
敬老の日	9月の 第3月曜日	多年にわたり社会につくしてきた老人を敬愛し、長寿を祝う。
秋分の日	秋分日	祖先をうやまい、なくなつた人々をしのぶ。
スポーツの日	10月の 第2月曜	スポーツを楽しみ、他者を尊重する精神を培うとともに、健康で活力ある社会の実現を願う。
文化の日	11月3日	自由と平和を愛し、文化をすすめる。
勤労感謝の日	11月23日	勤労をたつとび、生産を祝い、国民たがいに感謝しあう。

第3条

「国民の祝日」は、休日とする。

2.「国民の祝日」が日曜日に当たるときは、その日後においてその日に最も近い「国民の祝日」でない日を休日とする。

3. その前日及び翌日が「国民の祝日」である日(「国民の祝日」でない日に限る。)は、休日とする。

(以下省略)

国民の祝日に関する法律

（昭和23年法律第178号）

第１条
自由と平和を求めてやまない日本国民は、美しい風習を育てつつ、よりよき社会、より豊かな生活を築きあげるために、ここに国民こぞつて祝い、感謝し、又は記念する日を定め、これを「国民の祝日」と名づける。

第２条
「国民の祝日」を次のように定める。

元日	1月1日	年のはじめを祝う。
成人の日	1月の第2月曜日	おとなになつたことを自覚し、みずから生き抜こうとする青年を祝いはげます。
建国記念の日	政令で定める日	建国をしのび、国を愛する心を養う。
天皇誕生日	2月23日	天皇の誕生日を祝う。
春分の日	春分日	自然をたたえ、生物をいつくしむ。
昭和の日	4月29日	激動の日々を経て、復興を遂げた昭和の時代を顧み、国の将来に思いをいたす。
憲法記念日	5月3日	日本国憲法の施行を記念し、国の成長を期する。
みどりの日	5月4日	自然に親しむとともにその恩恵に感謝し、豊かな心をはぐくむ。
こどもの日	5月5日	こどもの人格を重んじ、こどもの幸福をはかるとともに、母に感謝する。

著者略歴

生方 徹夫（おぶかた・てつお）

民俗学者。1931年、佐賀県生まれ。69年、國學院大學大学院修士課程修了。77年から麗澤大学外国語学部講師、助教授を経て、85年から教授（民俗学・日本語）。2021年没。著書に『鬼来迎―日本唯一の地獄芝居』（麗澤大学出版会）、『伝統文化の心―歳時・習俗に学ぶ』『国民の祝日と日本の文化』（以上、モラロジー研究所）がある。

本書は生方徹夫著『伝統文化の心―歳時・習俗に学ぶ』『国民の祝日と日本の文化』に基づき、著作権者の了解を得て再編集したものです。

誰かに話したくなる日本の祝日と歳事の由来

令和3年12月20日　初版第1刷発行
令和5年7月7日　第3刷発行

著　者　生方徹夫
編　者　公益財団法人モラロジー道徳教育財団
カバー＆本文デザイン　滝口博子（ホリデイ計画）
発　行　公益財団法人モラロジー道徳教育財団
〒277-8654　千葉県柏市光ヶ丘2-1-1
電話　04-7173-3155（出版部）
https:// www.moralogy.jp
発　売　学校法人廣池学園事業部
〒277-8686　千葉県柏市光ヶ丘2-1-1
電話　04-7173-3158
印　刷　精文堂印刷株式会社

ISBN 978-4-89639-278-4